風の盆恋歌

髙橋　治著

新潮社版

3895

目次

風の盆恋歌

序の章

〝水音が聞えない〟

そう思って、太田とめは足をとめた。

高山線の八尾《やつお》駅近くにある自分の家から、一気に長い坂ひとつをのぼって来た。七十歳をこした身にはこの坂がこたえる。越中八尾と呼ばれる富山県婦負《ねい》郡八尾町には、坂の町という別名があって、ゆるいくの字なりの急な坂が、奥へ奥へとのびている。

とめは額《ひたい》の汗を拭《ぬぐ》った。遥《はる》か下に、町の北側を流れる神通川の支流、井田川が光っている。その井田川までの急な崖《がけ》の斜面を、石段のように家々の屋根が下《くだ》っていた。川からの風が吹き上って来る。

涼しさにほっと息を入れながら、とめが耳をすますと、やはり水音はしていた。雪流し水と呼ばれる疎水《そすい》が、古い造りの家のまだ沢山残る町並の軒下を、かけ下るような勢いで流れている。山あいの町は雪が深い。どの家も屋根の雪を下ろすための中庭を持ってはいるが、冬のさなかには下ろしたあとから雪が積る。そのために、日をきめて、町中が総出で積った雪を雪流し水に投げ入れる。たかだか五、六十センチほどの幅だが、急な坂を利用した水流は、信じられない早さで雪の固まりを運び去って行く。

八尾の町では、どこにいてもこの雪流し水の音が耳に入って来る。坂の町であるばかりでなく、八尾は水音の町なのだ。

それほどの水音を、とめが聞えないと思ったのは、明日九月一日からの三日間のために、町が顔つきを変えはじめているせいだった。〝風の盆〟と呼びならわされた年に一度の行事が来る。独特な音色を出す胡弓《こきゅう》が加わった民謡越中おわら節を、人々はのびやかに歌い、歌に合わせてゆるやかな振りの踊りを舞う。養蚕や漆器で栄えたこともあったが、今の八尾には産業らしい産業もなく、普段はひっそりと息をひそめた町である。ただ、年に三日だけ、別の町になってしまったような興奮が来る。そして、町の誰《だれ》もがその三日間を見つめて生きている。

物売りや香具師《やし》たちがもう入りこんで来ていた。都会から戻《もど》った人たちが、町の人々と声高に挨拶《あいさつ》を交わしている。そして、万灯《まんとう》と呼ばれる横なりに長い広告灯を、道をはさんだ両側の軒から軒へと、人々が吊《つ》り始めていた。それらの物音が水音を感じさせないほど町を賑《にぎ》わしているのだった。

とめは歩き出した。人ごみを縫うように盛り場をぬけ、目抜通りの一本裏通りに入った。そこから町はまた弓なりの坂になってのぼっている。手前が諏訪町《すわまち》、奥が東新町《ひがししんまち》になる。

水音が急に高さを増した。雪流し水の取入れ口が近いせいもあるが、諏訪町、東新町の二つの町だけが万灯も吊らずに、なにごとも控え目な風の盆の迎え方をするためである。

道の両側に、二メートルほどの高さのぼんぼりの列が、坂ののぼる様を見せるように並んでいた。六角形のぼんぼりの各面には、いろいろな商店の名が墨で書きこまれ、諏訪町おわら盆と書かれた一面の裾《すそ》にだけ、朱色のぼかしが入れられている。他の町には色彩が溢《あふ》れ返っているだけに、この彩《いろど》りを押えたぼんぼりの意匠は、二つの町をひどくやわらいで見せていた。

とめの生れた家は、今は銀行や町の公共の建物が並ぶ東町《ひがしまち》にあった。諏訪町よりは下《しも》になる。その家から町外れの山あいの桑畑まで、毎日とめは諏訪町をのぼって桑の葉を摘みに通った。途中に、あの人とならと思い定めた男の家があった。

とめの娘時代には、そんなことは親にも友達にもいえなかった。ただ、足早に歩く速度を、その男の家の前ではいっそう早めるだけのことだった。たまに出会うことがあっても、とめは俯《うつむ》いている顔をなおのこと深く足もとに向けるだけで、相手に会釈《えしやく》することも出来なかった。

諏訪町を上りきると、東新町にかかるあたりから、水音が更に一段と強くなる。隧《ずい》道《どう》で山ひとつをくりぬいた雪流し水がその辺で町に流れこんでいる。背負籠《しょいかご》一杯の桑の葉は重い。とめは葉を摘んで戻る度に、雪流し水の取入れ口で休んだ。切ってそいだような山のはだに、円形に作られた取入れ口からは、水の色も感じさせないほど澄み切った水が、立って見る人間に襲いかかるように吹き出して来る。汗をふくためにひたす手拭《てぬぐい》も、水を掬《すく》ってのもうとさし入れる両手も、よほど力を入れなければ押し流されそうになる。

とめはそこで笹船《ささぶね》を作っては、そっと水に浮かべたものだった。ものの一秒も笹船はとめの視界に止っていない。その短い時間に笹船が転覆せずに流れ去れば、あの人に会えるかも知れない。とめはそう思うのだが、目方も感じさせないほどの笹船さえ、雪流し水は流水の中に揉《も》みこむように運び去って行ってしまうのだった。

その頃《ころ》、とめはおわらの有数な踊り手といわれた。今では昼に踊る場合、踊り手が笠《かさ》をぬぐことがある。だが、昔のおわらは決して編笠をぬがずに踊った。娘盛りになれば、なおのこと深く笠で顔をかくした。たとえ顔が見えなくても、自分の思いが熱ければ、踊りの振りでその人にだけは自分とわかるはずだと信じてとめは踊った。

むしろ、顔が見えないという安心感が、若かった日々のとめたちを奔放にさせた。面と向ってはなにもいえない思いのたけも、踊りの艶《つや》としてなら出せる。それが相手に通じて、好きな男に嫁いで行った友達がなん人もあった。

とめの場合、踊る様を好もしいと思ってくれたのは全く別な男だった。その胡弓の名手といわれた夫を、とめは十年ほど前に亡《な》くしている。昔のことだから、思った男に嫁げないめぐり合わせは、とめだけの悲運ではなかった。望まれて行った男との間にも、それなりの充実した生活があり、とめは良い妻として夫に仕えた。

しかし、諏訪町に住んでいた男が中国の戦場で死んだ時から、妙にさめた気持でとめは風の盆を迎えるようになってしまった。八尾に生れて育った人間には滅多にないことなのだが、こればかりはとめにもどうにもならない。

その上、戦後まだ暫《しばら》くは鄙《ひな》の匂《にお》いを残していた歌と踊りが、土くささのせいで注目を浴び出した頃から、おわらは急激に変った。年々見物に訪れる客が多くなり、観光バスが河原の臨時駐車場を埋めつくす。そうなって加速度がついたように、おわらは洗練されたものになった。そんな風潮を、ついとめは本当のおわらはあんなものではなかったという思いで見てしまう。死んだ夫が今のおわらを見ずにすんだことが幸せででもあったかのように思う日さえある。

夫は北陸の各地に多いあんころ餅《もち》に毛の生えたような菓子を生真面目《きまじめ》に作る職人で、四十年連れそった結婚生活にはほとんど波瀾《はらん》らしいものがなかった。育て上げた二人の息子もなまじ学校の成績が良かったばっかりに、おわらには関心を示さず都会に出てしまった。幸い嫁にも恵まれて、それぞれからの仕送りがある。だが、二人とも孫を連れて風の盆に戻って来るような息子にはならなかった。

それでも夫が生きている間は、おわらがとめの身近にあった。三百年余りも人から人に伝えられた民謡と踊りなのだから、年長者が次の世代を育てて行く。風の盆が近づいて来れば、とめの家が毎晩のように稽古場《けいこば》になった。頼まれれば、とめも若い娘たちの踊りの手を見てやることもあった。

だが、夫が死んで菓子が作れなくなり、とめは駅に近い店を喫茶店に貸した。店の裏にある住居と駅の前の踊り場との間に、今はデコラを張りめぐらしたような喫茶店が立ちはだかっている。

そんなとめを、急に風の盆に引き戻したのは、おわら保存会長の清原親明だった。

とめの夫よりは十歳ほど年下だが、抜群の踊り手だった。男と女とでは振りの違うおわらの踊りのどちらも、清原は惚《ほ》れ惚《ぼ》れとするような線の美しさで踊った。まだ清原が若かった頃から、夫はやがて清原がおわらの中心人物になるといっていたものだが、地方《じかた》はとめの夫、踊り手は清原が指導者としてそれぞれ欠かせない人間になって行った。清原の場合、富山の師範学校を出て、教員生活を地元の八尾の小学校の教頭で終えたことも、保存会長をつとめる大切な資格になった。

その清原が四年ほど前にとめの隠居仕事にと諏訪町のある家の管理の話を持ちこんで来た。清原の家の斜め向いにある家で、数年前に不幸な交通事故のために一家離散になり売りに出された。それを東京に住むある男が買った。

勿論《もちろん》、そこに住むわけではない。風の盆の三日間だけその家を使うのだという。今どきなんという贅沢《ぜいたく》な話なのだろうととめは思った。とっさに考えたのは、派手なチェックの背広を着た脂《あぶら》ぎった土地成金かも知れないということだった。たとえ三日間でも、そんな男と顔をつき合わさなければならないのはもの憂《う》い。

だが、諏訪町には忘れ難い思い出がある。その上、万事派手なことを避ける諏訪町の風の盆の迎え方がなによりも好もしい。とめが記憶の中に生かし続けている昔の風の盆に近いものが諏訪町には残っている。

そして、矢張り、水の音だった。生れた家の東町では水音が高い。だが、嫁いで来た今の家は、八尾の一番低い場所にあるせいでほとんど雪流し水の音が耳に届いて来ない。諏訪町と思うだけで、とめの耳には水音が聞えるように感じられた。あとなん年生きられるかは知らないが、水音に包まれた家の中に聞えて来る胡弓の音色を聞いて見たい。そう思った時、とめは清原の持って来てくれた話を受けることにきめた。

先方が出して来た条件は、風の盆の期間中の食事の世話と、月に一度か二度の家の風通し、五月の祭や冬の雪下ろしなど、町内で欠かせないつき合いを代行して貰《もら》いたいというだけのことだった。土地成金がもの憂いとしても、その程度なら我慢出来ないことはないととめは考えた。

実際に家を見て、とめは自分の決心が間違っていなかったことを知った。雁木《がんぎ》と呼ばれる雪よけの廂《ひさし》を深く持った家で、二階が低い。中庭の奥にある二階の座敷の窓をあけると、雑木林になった山の斜面が急角度に空にのぼっていて、その下を十四、五メートルも落ちこんだ谷川が流れている。前は雪流し水、後ろは谷川と、家ごとそっくり水音に包みこまれてしまったような家なのだ。

初めての年、八月三十一日の中《うち》に家の中と外廻《そとまわ》りを掃除し終え、九月一日の朝、とめはもう一度畳を拭《ふ》いた。居ぬき同然に買った家なので、家具など一応は揃《そろ》っているが、人の住んでいない家はどこか冷たい。とめはその冷たさを拭きとってしまいたかった。

それを終えたところへ、表通りの上新町《かみしんまち》の蒲団《ふとん》屋が二組の夜具を届けて来た。桔梗《ききよう》の花模様の色違いで夫婦の夜具である。一度蒲団を持ちこんで表へ出た蒲団屋が、もうひとつの大ぶりな紙包みを持ちこんで来た。

今時こんなものを探せといわれても苦労するといいながら、蒲団屋が渡してよこしたのは白一色の麻の蚊帳《かや》だった。北陸の家は隣家と壁を接して建てられているために左右の窓がとれない。そのため家の中はどうしても薄暗くなる。暗さの中で、白麻の蚊帳はどきっとするほどに艶《なま》めいて白いものに見えた。

五時近く、まだ陽差《ひざ》しが高い中に玄関の戸があいた。

土地成金でも、派手なチェックでもなかった。ひと眼《め》で外国ものと知れるボストンバッグを提げた男は、紺の縞模様《しまもよう》のネクタイをしめ、淡いチャコール・グレイの背広の上衣《うわぎ》を腕にかけていた。

とめは小走りに玄関に出て行きながら、なんと背の高い男かと思った。五十を出たか出ないか、顔は初老で、髪の毛に白いものがまじっているのだが、体には手斧削《ちょうなけずり》の欅《けやき》の柱のように、贅肉と思えるものがひときれもついていなかった。玄関のたたきに立ったまま、長身の背をのばして、家の中を検分するように見ている。

出迎えには出たものの、とめはとっさには挨拶の言葉が見つからなかった。

「とめさんですね。都築克亮《つづきかつすけ》です。お世話になります」

先を越した相手は微笑をうかべていた。眉《まゆ》が濃く、切れ長な眼は鋭いのだが、笑顔になると、眼尻《めじり》に皺《しわ》が寄る。それがいかにも優しげに見えた。この人ならなじめる。そう思った時、思いもかけないことを聞いてしまっていた。

「奥さんはおいでまさらんがか」

見ればわかることで、都築は一人きりなのだ。一瞬待ったが答えは戻って来なかった。色違いの桔梗の花の夜具が、ふっと頭をかすめた。しかし、それ以上のことを聞くわけにもいかない。疑問は疑問のままで、そして、ひょっとしたら、聞いてはいけないことを聞いてしまったのではないかという思いが、胸の片隅《かたすみ》にとげのようにささって残ってしまった。

都築は全く手間のかからない男だった。食事には一切文句をつけない。とめの話して聞かせることには、面白《おもしろ》そうにうなずき返しながら聞く。夜になると浴衣《ゆかた》に着がえておわらを見に出て行く。どこを歩いているのか、帰って来るのは夜なか近くになった。

「待っていてくれなくても良かったんです」

とめが起きていて迎えに出たのを見て、都築はいかにも気をつかう表情を見せた。

「おわらの晩は早寝はせんもんや」

とめは自分が答えた言葉に驚いた。早寝をしなかったのは夫の生きていた頃のことで、ここなん年もおわらの晩に夜ふかしをした覚えはなかった。とめは人を待つ思いなど忘れた生き方をして来ている。だが、都築が帰るのを待つことで、とめは弾んでいた。弾みながら、水音の中でしみじみと胡弓の音に聞き惚れて時を過したのだ。

三日間は思いもかけぬほど早く過ぎた。都築は九月四日の朝食にはもう荷物をまとめて二階から下りて来た。呆気《あっけ》ない思いをとめは抱いた。自分がしたことで満足なのかどうかを聞こうと思っていると、逆に都築から聞かれた。

「疲れませんでしたか」

「なんも」

とめは真剣な表情で首を左右に振った。自分が久しぶりに風の盆を楽しませて貰ったとの思いがあった。だが、それをうまく説明するのは難しい。言葉を探している中に都築に聞かれた。

「この辺では上布《じょうふ》は織ってなかったんですか」

「織っとりました、私らが子供の時分には。ほりゃ、越後や能登《のと》で出来たもんのようにはいかんがやけど、自分たちが着る分くらいは織っとりました」

「藍染《あいぞ》めは」

「ありましたとも」

「昔のものが手に入らんでしょうか」

「ほやねえ」

とめは考えこんだ。

「うちの亭主の着とったがが残っとればいいがですけど」

語尾を長く引いた。物ごとがはっきりしない時に、この土地の人々がよく用いる表現方法である。

「いや、そんな大切な品でなくても結構です。しまいこんだままにしていて、譲ってくれる人でもあれば」

都築のいうのを聞いて、とめはおやと思った。自分が曖昧《あいまい》な答え方をした意味を、都築が的確につかんでいることに気づいたからだった。

会話らしい会話はそれだけで、都築はなにか用のあった時の連絡先にと、一枚の名刺を渡して帰って行った。来年はいつ来るとも都築は告げなかった。三日間同じ屋根の下に暮したという、充実感に似たものを感ずる一方で、とめは処置に困る虚《うつ》ろさのようなものを抱えこんでしまった。

名刺にはある大新聞社の名が刷りこまれていて、都築の肩書は外報部長となっていた。かなりな地位だということはとめにもわかる。だが、その肩書にとめが見た都築の印象がいかにもそぐわない。無口すぎて、その上優しすぎる。とめはたちの悪いかつがれ方に出会ったように感じた。都築克亮という男は確かに知っているのだが、都築の背後がとめにはなにひとつ見えないのだ。

その年、雪の来ぬ中に、とめは押入れの奥から夫が着ていた地機《じばた》の上布を探し出して洗い張りに出し、都築が諏訪町の家に置いて行った浴衣の寸法を計って縫い直しにかかった。年寄りの身にも、それだけのことに長い時間はかからない。久しぶりに針を持ち、ゆっくり楽しむように縫ったのだが、正月が来る頃には、仕附け糸までかけ終ってしまっていた。あと八ケ月余りもある。そう思った時、意外なことに、とめは自分が都築との再会を楽しみにしていることに気がついた。

都築は九月に来た時に地元の信用金庫にとめの口座を開き、月々の費用を多め多めに振り込んで来た。雪下ろしのつき合いをとめはその金ですまし、五月五日の六本の山車《だし》が町を練る曳山《ひきやま》の祭には、都築の名で町内会に五本の酒と三万円の祝儀《しゅうぎ》を届けた。

ふたたび風の盆が来て、一年ぶりに姿を見せた都築は去年と全く変らなかった。仕上げられていた上布を見て、いかにも嬉《うれ》しそうな顔を見せ、九月一日の晩から早速袖《そで》を通した。しかし、有難うといっただけで、どこでどう見つけたのかともきかなかった。とめは少なからず拍子抜けしたような気分にさせられたが、そんな思いにとって代るほど、上布は長身の都築によく似合った。しかも、都築が帰ったあとで気がついたことだが、とめの口座には、このくらいの値段ならと思える金額の三倍近いものが振り込んであった。

その二年目の最後の晩、都築が家に帰って来たのはあけ方近くだった。

「そんなにおわらが好きやったら、どこかの宿屋を毎年予約なさったらいいがに」

その方が余程安上りで手軽だろうという意味を言外にとめはこめたのだった。一瞬、都築の顔に嶮《けわ》しいものが走った。〝あ、この家でなけりゃならんことがあるがや〟咄《とっ》嗟《さ》にとめはそう考えた。同時に、頭の隅を使われたことがない色違いの桔梗の模様がかすめた。だが、嶮しい表情と見たものがとめの錯覚ででもあったかのように、次の瞬間、都築は笑い返して見せてなにもいわなかった。とめはこんなことは二度というまいと心にきめた。

三年目、とめはようやく都築の扱い方に馴《な》れた。なにも自分が気を廻すことはないのだと思えるようになったのだ。都築がどんなことを考えている人間にせよ、こうして家まで買って風の盆に帰って来るからには、都築なりの理由があるに違いない。それは自分が知る必要のないことなのだ。そう納得がいって、とめはいっぺんに気が楽になった。探り探りだが、献立の相談なども持ちかけずに、自分の思い通りに運んだ方がいいように思えた。口には出さないが、都築はとめのそんな変化を喜んでいるように見えた。

自信を持った余り、自分に禁じていたことを忘れて、とめがつい口を滑らせたのは、三日目の昼食の時だった。

「いつおいでてもいいようになっとるがに、奥さんは来まさらんがか」

とめの眼が、今度は見逃さなかったほど、都築の顔が歪《ゆが》んだ。都築は答えなかった。そして、食事を終えると、早々に席を立つまでとめの方を見ようともしなかった。とめは自分がそこにいてはならない人間になってしまったように思えた。

とめは九月四日の朝までなん度となく自分を責めた。そして、この次の時はしくじるまい、四年目の九月を待つ間、とめは繰返しそう自分にいい聞かせた。

水音は、諏訪町の家ではひびき渡るように聞えていた。さあ、今年もこの水音の中で胡弓を聞くことが出来ると思い、家の前に立ちどまった時に、思わぬものが眼に入った。

玄関脇《わき》の格子《こうし》のはまった窓の下に畳一枚分ほどの庭がある。そこに一輪の八重の芙《ふ》蓉《よう》の花が咲いていた。

とめには誰《だれ》が植えたものか、全く心当りがなかった。

風の章

　自分はこの町を訪れるのか、それともここに帰って来るのかと考えることがある。八尾《やつお》駅の改札口を出た時、都築《つづき》の頭をかすめたのは、また、その思いだった。

　東京からの新幹線を米原《まいばら》で特急に乗りつぎ、富山で高山線に乗りかえるまで、都築はただの旅人だった。常々なら読まない週刊誌に眼を通し、制服の若い娘がワゴンを押して売りに来る不味《まず》いコーヒーを我慢して飲んだりもする。窓の外を流れる光景は、縁もゆかりもない人たちが生きる舞台で、都築がそんな風景にとり囲まれて生活することはない。眺《なが》めるだけの土地の広がりにすぎない。

　しかし、高山線の客席に座ると同時に、それがぐらついて来る。九月一日の午後というせいもあって、列車の客の大半は年に一度の風の盆に帰って来た人たちだった。誰もが帰って行くたしかな行先を持っていた。それだけではない。帰って来た人たちは互いに一年ぶりに会う挨拶《あいさつ》を交しあっていた。そんな乗客たちの中で、都築だけが別な人間だった。同じ列車の中に乗り合わせているおわら見物の客たちとも明らかに違う。見に来た人々は、ひと晩きりの宿に泊るか、その夜の中に帰って行く。だが、都築には崖《がけ》の上の家がある。

自分はそこへ帰るのか、それともその家を訪ねて行くだけの人間なのか。都築自身にもその辺のところがよくはわからない。わからないままで、毎年、八尾の駅に下りる。

駅の建物を出た広場の左手には踊り場が作られて、屋台の上で数人の男女が踊っていた。一応は、屋台を取り巻く踊りの輪ももう出来ている。輪の外に見物客が幾重かの輪を作っている。だが、昼の踊りにはどことなく熱が入らない。

都築は横に見ながら足もとめずに歩き出した。無意識の中に、見なれた光景であらためて見るまでもないと自分にいい聞かせている。しかし、踊り場を離れきらない中に、思いもかけないことに気づいた。見なれたというのは、一体、どんなことなのだろう。そう考えたのだ。

八尾に住む人も、八尾に帰って来た人も、風の盆が風の盆らしくなって来るのは、夜が更《ふ》けてからだということを知っている。都築も無意識の中にそう思って通りすぎようとしたのだった。とすれば、そんなことを知っている自分は矢張り八尾の崖のきわの家に戻《もど》って来た人間なのか。では、九月の三日間を除いた三百六十二日を生きる自分は一体なんなのだろう。三日間を生きるための仮の姿なのだろうか。

　　いくとせを　この家に生きむ　あてもなく
　　　辛夷《こぶし》買ひ植ゑ　春を待つ日々

なん年か前に送られて来た封筒の中の便箋《びんせん》に、それだけ書かれていた和歌が思い出された。ああ、お前もかという気持で読んだのをはっきり覚えている。和歌は辛《つら》さを訴えているのではない。救いに来てくれといっているわけでもない。ただ、自分が生きている季節が春ではない、居場所が違ってしまったように思える、そういっているだけなのだ。だが、それが痛いほど胸にしみる。辛夷の咲く春が来て、そのあとがどうなるのかについて歌はふれていない。そこがまた歌に托《たく》した心の揺れ具合でもあるのだろう。

家がほしい。それも八尾にと考えたのはその歌を読んだ時だった。歌を送ってよこした本人も八尾に行きたいというし、その人と会うなら八尾以外の場所は考えられない。だが、いざ買ってしまった八尾の家には、今年も、とめがいるきりなのだろう。

都築は歩きながら頭を振った。妙なとりつき方をしてしまった疑問が、思いもかけぬ方向にふくれ上って行くのを振り払いたかったからだった。もともと解答など出るはずもないことなのだ。

日本で有数の新聞社の外報部長という生活が都築にはある。志津江《しづえ》という妻があって、彼女は弁護士として良い仕事をして来ていた。子供を産まなかった志津江は間もなく五十に手が届こうという年齢だが、まだ美しさの衰えすら見せない。女性への差別が問題になる時、志津江は誰よりも先に意見を求められる一人で、主婦と仕事を持つ女との二役を精力的にこなし続けて見せた。

都築夫婦は社会的には成功者たちだと世間では見られている。軽井沢や伊豆《いず》にもう一軒の家を持っているというのなら、誰も不思議には思わないだろう。それが、なぜ、八尾で、志津江にもしらせてない家でなければならないのか。その上、休養のために出かける家ではなく、ひょっとしたら、この家に帰って来るために生きているのかも知れない。振り払った思いはまだ都築を追いかけて来ていた。

駅からの道は井田川の橋にかかる。八尾の町を北と南からはさみつけるように流れている二本の川が、橋のやや下流で合流している。渓流《けいりゅう》が川幅をひろげて来て、流れも幾分ゆるんで来る。その川面《かわも》をおわらが滑って来た。

おわらは曲のひき出しの三つの音を三味線がひく。そこで胡弓《こきゅう》が加わって、地方《じかた》が肩から体の前に吊《つ》ったしめ太鼓がリズムを刻み出す。三味線は弦をはじく楽器だから、音と音とはつながらない。その間を弦をこする胡弓の音が埋めて行く。性質の違う二種類の弦楽器が、呼び合い、答え合うように演奏される。三味線が歌い、胡弓は歌が掬《すく》いきれなかった情感を訴え続けるように聞える。

水の音に胡弓の音色がいかにもよく似合う。その上、裏声に近い高音で歌い切るおわらにも、胡弓はしっとりと寄りそう。長く声をひく歌い方の途中には際《きわ》どい節廻《ふしまわ》しが入り、胡弓はその節廻しを忠実に追って行く。だから、聞きようによっては、おわらは人が歌うものではなく、胡弓が歌っているようにも聞える。

そんな胡弓の調べを聞いた時、都築はああ今年もまた風の盆に帰って来たのだと思った。

ついさっき、自分にも答えが出せなかった疑問とは全く違って、動かせない納得のようなものだった。人間の生理が反応する感じ方に近い。だが、それはそれで都築の気持の中にやわらかくおさまる。

橋をわたると、八尾の町の顔つきが変る。古い家並が坂の両側で上へ上へとのびている。その坂を、上から踊りの一群が下りて来た。昼流しと呼ばれる踊り方で、風の盆の訪れを告げ合うように、隣合わせの町から町へと踊って行く。

八尾町十一町内の中、十町までが橋から上にある。一本道の坂をのぼった左側に大きな境内を持つ寺が見えて来る辺《あたり》から、道が二筋に分かれ、その上で三筋の町になる。昼流しはそんな町の中を廻って行く。

二列の女の踊り手を、外側の二列の男の踊り手たちがはさむようにして下りて来た。知った顔がまじっている。都築の方は目顔で挨拶を送るのだが、踊り手たちはやや俯《うつむ》き加減に前を見つめたままで脇見をしようともしない。昼流しは笠《かさ》をぬいでいるが、元来が深く笠をかぶって踊るせいで、視線がどうしても低くなる。眼を動かさずに踊る様は、どことなくつきつめたものを漂わせていて、見る者にある爽《さわ》やかさを感じさせる。

その上、揃《そろ》いの着物を着た女たちは赤緒、法被《はっぴ》に股引《ももひき》姿の男たちは黒緒の草履をはいているために、この踊りには足音がない。どこからともなく踊りの群れが近づいて来て、どこへともなく去って行くように思える。

ゆったりと進んで来る一群のあとから、地方の男たちがついて来た。胡弓をひく男は、自分の出す音色に酔ったように眼を閉じていた。弓でひく楽器なので、どうしても大きく左右に振り、中腰に構えた自分の体を、楽器と反対の方向にひねり切る。踊りの振りとは全く違うのだが、胡弓と共に、その男はたしかに踊っていた。踊るだけではなく、踊りに酔っていた。地方の男たちは一升ビンを下げたり、洋酒の入った水筒を帯にはさんだりしている。歩きながらその酒が男たちの手から手に渡されて行く。酒の酔いがおわらの艶《つや》を増し、おわらの艶が男たちをまた酔わせる。風の盆の訪れを一年待ち続けていたに違いない。酔って当然なのだ。

都築も風の盆を待っていた。だが、都築は酔ってはいない。都築がいまこの先に間違いなく持っているものは、待ち続ける三日間の長い時間だけなのだ。

今年はなにかが変るかも知れない。都築の胸の底には毎年そんな期待がある。だが、諏訪町《すわまち》の家についた途端にそれは消えてしまう。来ることを決意した相手なら、自分よりも先に来て待つ方を選ぶはずなのだ。

二筋道が三筋に変る横丁にさしかかった。八尾の中心街で、飾りつけが一段と華やかなものになる。諏訪町はそこから少し左に曲って、また右に折れる。自分の家まで数軒というところまで来て、都築は思わず足をとめた。

去年まではなかったものが眼に入った。狭い前庭に花が咲いている。八重の芙蓉で、うっすらと桃色を帯びていた。

ある予感が胸に来た。

花の方に振り返ったままで、玄関の戸をあけた。

出て来たのは、予感につながる人ではなく、矢張り、とめだった。

「おいでましたがか」

去年からとめはそういう。うまい挨拶だと都築はうならされる思いだった。お帰りなさいといわれるのは白々しい。といって、いらっしゃいませといわれる筋合ではない。おつきになりましたかという標準語では、意味は同じでも、この微妙さは出ない。自分では喋《しゃべ》らないが、学生時代三年間金沢で過したことがあるので、都築にはとめが考えた末に見つけ出したと思えるこの表現の奥にあるものがわかってしまう。都築はふとうとましいものを感じた。

来ることがきまっていて、今年もそうなりましたねと、とめはいっているのだ。

とめの挨拶には答えずに、都築は靴《くつ》の紐《ひも》をときながら聞いた。

「あの花は？」

「旦那《だんな》さんが植木屋にいうたと違うまさるがか」

自分のしたことではないととめは答えている。都築がこの町で親しく言葉を交わす人間は二人しかいない。一人は斜め向いに住む清原で、もう一人は目抜通りの上新町で『華』という喫茶店を経営しながら刀を鍛《う》つ水谷修一である。二人とも都築にことわりなしにそんなことをする人柄《ひとがら》ではない。山あいの村から水谷に嫁いで来た三枝子、とろろそばを食いに寄るそば屋の親父《おやじ》、『古径』という骨董《こっとう》店を営んでいる女主人、そのほかとめを通じてのことだが、それなりのつき合いのある人々の顔を思いうかべてみた。だが、心当りはない。

それらの人たちでないとすれば、都築の家の前庭に芙蓉の花を植えるような人間はただ一人しかいない。花を見た時の予感が、現実感を増した。

ゆめにみし人のおとろへ芙蓉咲く

久保田万太郎の句が、ふと頭をかすめた。

「電話はありませんでしたか」

座敷に上りながら都築は聞いた。

「はあ？」

極端に語尾を上げ、信じられない言葉を聞いたといわんばかりのとめの返事が戻って来た。この家の前の持主から受けついだ電話が引かれてはいる。だが、都築ととめがここで風の盆を過すようになってから、ただの一度もその電話は鳴ったことがなかった。

休暇をとって出て来る都築は先任の次長にすべての権限を譲ることにしている。先方も心得たもので、八月の末が近づいて来ると、間もなく三日間だけ部長はいなくなるものだときめて、仕事の責任を徐々に引きつぐように動き出す。必要な場合には自分の指示を仰ぐようにと、この家の番号を次長に教えてはある。だが、次長もかけて来なかったし、都築もかけなかった。

「どなたか来まさるがですか」

荷物を持って先に立ちながら、とめが鋭すぎるようなことを聞いて来た。

「なぜ」

都築は馬鹿《ばか》げた質問を返した。電話の話だけで都築の秘《ひそ》かな期待まで読み切ったとめに、咄嗟《とつさ》には対応しきれなかったからだ。とめは「いえ」とも「いや」とも聞きわけられない言葉を返しただけでなにも答えなかった。利口な女だと都築は驚かされた。

風呂《ふろ》に入り、夕食をすませたが電話は鳴らなかった。

「清原さんのところにお邪魔してます」

都築がとめとこの家で風の盆を過すようになってから、行先を告げたのは初めてのことである。

「はい」

ていつもの都築との違いに気づいていることを強く感じさせた。まあ、いい。そう思うことにした。電話がかかるにしても、芙蓉を植えさせた本人が姿を見せるにしても、とめはこの家の持つ意味を知らないではすまない人間なのだ。

とめはそう答えただけだった。表情も動かさない。しかし、動かさないので、却《かえ》っ

玄関を出ると、おわらの音が一段と高まったように思えた。格子の内側のガラス戸はあけて、中からすだれが下ろしてある。だから、家の中にいても、風の盆の間は途切れることなくおわらが耳に入って来る。外で聞くのとさして差はないのだが、外では家が背負っている山を伝わる遠くからのひびきが違う。

玄関の戸をしめて振り向いた途端に、また、芙蓉の花が眼に入った。家に入る時に見た花とは色が違ってしまっている。紅の色が遥《はる》かに濃い。さっき見た花と同じものなのかと見直す思いだった。一輪しか咲いていないのだから、見間違うわけがない。しかし、とても同じ花だとは思えなかった。妙な花だと都築は思った。

都築が最初に清原と出会ったのは上新町の喫茶店『華』だった。『華』はこれが田舎の町かと思うようなコーヒーを出す。和風な家を改造した店だが、都築はドアをあけて中に入った途端に、ああこれは良い店を選んだと思った。昔のままのものをどこ

からか移して来たのだろう、店の中央に囲炉裏《いろり》が大きく置かれていて、その周囲を客が取り巻くように椅子《いす》が配置されている。普通のテーブルの席もいくつかあるのだが、そちらがあいていても客は巨大な欅《けやき》の自在鉤《じざいかぎ》が下った囲炉裏の周囲に集って来る。カウンターの壁には、常連が来た時に一枚ずつ切って使うコーヒーのティケットが沢山吊り下げられていた。

長いヨーロッパ駐在から東京の本社に帰った年で、都築は無性《むしよう》に風の盆が見たかった。休暇をとり、富山のホテルに予約を入れて八尾まで出かけることにした。志津江に行って見ないかという言葉だけはかけたのだが、法廷のスケジュールがぶつかっているという返事だった。そのいい方の底には、なにを今更富山まで盆踊り見物にというものがありありと感じられた。

志津江にとっては、都築が誘った時が最初の風の盆ではない。都築が金沢で過した学生時代、志津江も同じグループに属していて、二、三度はみんなと連れ立っておわらを見に来ている。だが、グループの中で志津江一人がほとんど興味を示さなかったのを、都築はよく覚えている。歩き疲れて、志津江は都築の腕にすがりながら不満そうにいったものだった。

「見せるなら見せるで、見に来る人の気持も考えなきゃいけないわ。これじゃ遠足じゃないの」

　その頃《ころ》から三十年余りたつ。志津江を置いて、東京から一人で出かけて来た夜も都築は歩き疲れた。夜流しと呼ばれる町から町へ踊って行くグループを追って行けば、気づかぬ中に、なん度となく坂をのぼりくだりしてしまう。

　疲れてひと息入れるために立ち寄ったのが『華』だった。上新町は長い坂の町でも特に上から下までが長い町である。その長さを一杯に使ったような巨大な輪踊りが出来る。なん個所かにやや高めの踊りの台を置き、その上で踊り盛りの青年男女が踊って見せ、周囲を町内の人ばかりでなく、風の盆を見に来た客も加わって踊る。要所要所には上新町のおわらチームの衣裳《いしょう》を着た踊り手たちが入り、目立たない形で踊りを引きしめる役にまわる。

『華』でその輪踊りのおわらを聞きながらコーヒーをのんでいる時に、向いに藍染《あいぞ》めの浴衣《ゆかた》を粋《いき》に着こなした五十四、五の男が座った。浴衣といってもただの既製品ではない。肩から胸までは藍一色、腰から裾《すそ》までも藍一色、その中間を同じ藍で染めた細かな四《よ》つ目垣《めがき》のような模様がつないでいた。袖《そで》の丁度中ほどがその模様のつぎ目になり、藍一色のふちはぼかしで白い地にとけこんでいる。贅沢《ぜいたく》な別誂《べつあつら》えの浴衣だった。

「ひと息入れんことにはもうもたんがや」

その男はカウンターの中でコーヒーをいれていた三十がらみの主人に声をかけた。注文もしないコーヒーを浴衣の男に持って出て来た主人が都築に聞いた。

「もう一杯いかがです。大分お疲れになっておられるようですから」

「有難う、お願いします」

そのコーヒーを届けに来た主人がまた都築に聞いた。

「遠くからお出かけですか」

「ええ、東京から」

「そうでしたか、いかがです、おわらはお気に召しましたか」

「ええ、でも、随分変りましたね、昔から見ると」

「昔とおっしゃいますと」

「昭和二十……三年からでしたか、最後は二十七年でした」

「東京の方がなぜその頃の風の盆を」

「四高の生徒でしたから」

金沢にあった旧制高校の名で答えた時に、向いの浴衣の男が細かく二、三度うなずいた。主人は目ざとくそれに気づいたようだった。

「あ、そんな昔のおわらを知っておいでなら御紹介しましょう。こちらがおわら保存会長の清原先生です。おわらを踊らせたら、この方の右に出る人はおりません」

それが清原との出会いだった。都築は紹介してくれた『華』の主人が水谷修一という名で、文化庁からの委嘱《いしよく》を受けては刀を鍛つ男であることを後に知った。

コーヒーをのみ終えて、都築は清原と一緒に席を立った。清原の踊るところを是非見せてくれと頼んである。清原は照れたように笑ったが、いやだとはいわなかった。

清原は輪踊りの列をつっきると、一番近い踊り台に近づいた。法被《はっぴ》姿で踊っていた青年が素早い動きで台から下りた。代って清原が台にのぼる。のぼりきらぬ中に、清原の左手がやや左上方にのび、右手が首の前に曲げられた。おわらの男踊りで、稲束を投げ上げる動作から作られた振りである。左足をやや上げ、右足一本で立つので、体は幾分左に傾く。その傾き加減がいかにも優雅だった。

清原と背中合わせの位置で踊っている娘が、また抜群に綺麗《きれい》な踊りを見せていた。互いの踊る様は見えないのだが、二人の踊りは見事に呼吸《いき》が合っている。長い髪を結い上げているらしく、すっとのびた長目な襟足《えりあし》は見える。しかし、目深《まぶか》にかぶった笠の下からはきりっとしまった唇《くちびる》しか見えない。

「お嬢さんのアンリさんですよ」

耳もとで小声でいわれて振り向くと、浴衣に着がえた水谷が立っていた。

「アンリ？」

「杏《あんず》の里と書きます。お父さんに負けないくらいの踊り手です。おとしが違うので、二人が揃って踊ることは滅多にありません。よく御覧になって置いて下さい」

そういうと水谷は輪踊りの切れ目の中に入って行った。

清原と杏里の踊りが格段に優れたものであることは都築にもよくわかった。普通の人が踊る場合にもゆるやかなおわらの振りは、どことなく現実を一段階超えた高みを感じさせる。二人はその高みに漂ったままおりて来ないのだ。足が地についていることが信じられない思いで都築は二人の踊りにつよく引きこまれた。なんの脈絡もなしに、夢、幻という二つの言葉を都築は思い浮かべた。二人の踊りが白熱すればするほど、不思議なことに現実感が欠けていってしまうのだ。

「ちょっと疲れました。どうです、私の家がこのすぐ裏通りですから、冷えた麦茶でものみにお寄りになりませんか」

踊りの台から下りて来た清原はそう都築を誘った。

こうして清原とのつき合いが始まり、その翌年、もう一度八尾に出かけた。清原の踊る様をよく見て置きたかったので、二年目は滞在を二晩にのばした。その二日の中に娘の杏里とも親しくなった。また、その翌年、夏が訪れて来る頃になると都築はなぜか落ちつかない気持にさせられて、富山のホテルに三日間の予約を入れた。

そうまでおわらに惹《ひ》かれる理由が都築にもはっきりしない。最初は、長い外国暮しで自分の情緒が乾ききったせいではないのかと思った。とし相応に、年輪を経たものに惹かれ出したのかと疑ってみたこともある。だが、それだけではない。うっすらと感じられるのは、なにもしないでおわらの中に身をひたしている間は、別人になったような自分でいられる上に、それが意外に心地よいということだった。その期間は仕事にも縛られない。志津江との家にも縛られない。たしかに、滅多に味わえない自由な時間の中にいる。しかし、そこを突きつめて行けば、ひどく無責任な人間のあり方につながってしまう。そう気がついて都築は考えることの方を止めた。居直るようにとれなくはないが、人生にひとつやふたつそんなことがあってもいいではないかと思ったのだ。

その三年目、清原は浴衣姿ではなく、ズボンにカッターシャツという、いままで見たこともない姿をしていて、ほとんど家を出なかった。清原は妻に先立たれている。そのため、都築をもてなすのは杏里の役廻りだったが、この年の三日間、杏里は遂に姿を見せなかった。どこかへ嫁いで行ったものなら、清原がそういうにきまっている。清原の洋服姿とも考え合わせて、父娘《おやこ》の間になにかがあったのだと感じた。だが、都築はなにも聞かなかった。

杏里のことは話題にならずじまいだったが、清原は斜め向いの家に不幸があって売りに出されていることを世間話のように話してくれた。都築は買おうなどという気持は全くなしに値を聞いて見た。なにごとにも興味を持つ新聞記者の本能に近いことである。富山への通勤圏に入るとはいえ、家も古い上に田舎の町のことである。信じられないくらいの値の安さだった。丁度、ヨーロッパ滞在中の見聞を軽い書き方で綴《つづ》った本が出版され、都築自身が驚くほど売れていた。その印税に貯金の幾らかを引き出して足せば買える。そう考えた時、急に、耳もとで囁《ささや》き直されたようにある言葉がよみがえって来た。

「もう一度、一度きりでいいから、あなたと風の盆に行ってみたい……。ね、私を風の盆に連れて行って下さい」

吹きすさぶ嵐《あらし》のノルマンディー海岸にとめた車の中で聞かされた言葉だった。

「清原さん、その家を買って下さいますか」

一瞬前には思っても見なかったことを、都築は清原にいってしまっていた。

清原の家の玄関をあけると、待ちかねていたようにズボン姿の清原が出て来た。

玄関脇《わき》の座敷は、表からは千本格子の和風な作りだが、中は畳に絨毯《じゅうたん》を敷いた半洋風に改装してある。部屋の中央には応接セットが置かれているが、都築が訪ねて来た時には使ったことがない。窓際《まどぎわ》に側面を漆絵で埋めた碁盤《ごばん》と二枚の座蒲団《ざぶとん》が用意してある。そこで二人は碁をうちながら、おわらを聞き、影絵のように窓の外を通りすぎて行く夜流しを見る。それが清原が浴衣姿からズボンに変ってしまってからの風の盆の過し方だった。

今年はあの町の夜流しについて歩きなさい。あの歌い手がとても上手になりました。そんな毎年の変化は聞きもしない中に清原が教えてくれる。

碁のうでは幾分清原の方が上だが、三番に一番は都築が勝つ。二番ほどうつ中に夜が更《ふ》けて、町を廻るのに丁度良い時間になる。

碁盤の前に座って待っていると、奥からビールを下げて来た清原が前に廻って座った。

「半月ほど前でしたか、植木屋が電話で頼まれたと芙蓉《ふよう》の木を植えて行きました」

「はあ」

「夏の盛りに、ちょっと無理ではないかと思ったんですが、具合のいいことに咲きましたな」

「ええ」

「植木屋は自信がないといいますし、お節介だとは思いましたが、時々水をやって置きました」

「そうでしたか。存じませんで、それは有難うございました」

なぜか、自分が植木屋に出した注文ではないことを知られたくないように思えた。都築は眼を合わさずに碁笥《ごけ》のふたをとると、黒石をひとつつまんで盤面に置いた。いつもであれば、都築は最初の石を敵陣に打つ。だが、無意識に自分の右前に打っていた。

「ほーう」

そういって、清原は都築の左前に打ち返して来た。しばらくは無言の序盤戦が続いた。双方の陣の構え方が大体きまって、白を持つ清原が攻撃をかけ始める手順になった。清原の指が碁笥の石をつまんでは軽い音をたてて戻《もど》している。攻め方を読んでいるのだ。ここに来る。それが辛《つら》いと思っていた場所に、清原は音を立てて石を置いた。

「スイフヨウがお好きですか」

「スイフヨウ？」

思わず聞き返した。

「あの花です」

「……ああ」

答えはしたが、いかにも答える頃合がずれた。

「酔う芙蓉と書きます」

花の名も御存知なかったのですかと清原にいわれたように感じた。

「妙な花ですね。私がついた時と出て来る時と、全く色が違っていました」

「だから酔芙蓉なのです」

「はあ」

語尾を上げて、思わず清原の顔を見た。

「朝の中は白いのですが、昼下りから酔い始めたように色づいて、夕暮にはすっかり赤くなります。それを昔の人は酒の酔いになぞらえたのでしょう」

「それは、また、粋な」

「ええ、私も好きな花のひとつなので、なんとかついてくれればいいがと思っておりました」

「で、酔った揚句がどうなります」

「散りますな」

「酔って散るのですか」

「一日きりの命の花です」

「そうですか」

酔って散ると聞いた途端から、都築の碁は全く碁にならなくなった。都築は二番たて続けに大敗した。

清原の家を出ても、町を歩く気にはなれず、都築はそのまま家に戻った。とめがひどく意外そうな顔で都築を見たが、そんなことには気づきもしないふりで都築は二階に上った。

奥の八畳にはもう蒲団がのべられていた。おわらの音をかき消すような水音の中で、都築は京都からわざわざ植木屋に電話して酔芙蓉を植えさせた人の気持をまさぐってみた。

考えても、わかることではない。ただひと夜きりで散る花が自分の家の前に植えられただけで、本人がなにをいって来たわけでもないのだ。

八尾に家を買ったこと、その家をとめが管理していること、風の盆の期間中はいつ来ても使えるようになっていることなどは、わざわざ事実を述べるだけという書き方で書き送ってある。それが、もう一度、風の盆を見たいとノルマンディーの海岸でいわれた言葉への返事であることは書いていない。えり子が辛夷《こぶし》の歌を送って来たのは、パリでの出逢《であ》いの一年ほど後だったが、八尾の家がその歌に関係があるとも、都築は書かなかった。

その手紙をえり子がどう読んだのか。えり子からはなんの返事も届かなかった。そのまま三年が過ぎ、四年目の夏に入って、えり子は突然一本の木を家の前に植えさせた。その気持のうつろい方はどうまさぐっても正確には辿《たど》りようがない。

八尾の家は、都築が勝手に買ったものであるにせよ、都築の気持の中には自分一人の家だという意識はない。そう思うのであれば、志津江にこの家のことを話す気持になっただろう。しかし、今日まで志津江にはひと言もそのことは話してはいない。

「八尾へ行って来るよ」

「そう。お好きなんだから、おわら漬《づ》けになってらっしゃい。でも、いつか阿波《あわ》踊りに連れていってね。私はあっちの方が好きよ、陽気だから」

志津江はそういって、どこに泊るでもなければ、いつ帰って来るでもない。陽気で好きだというだけあって、志津江を阿波踊りに連れて行けば、本当にあのリズムに乗って踊り出しかねない。影になった部分が少い女なのだ。

志津江がそんな女であることをえり子は幼い頃から知りすぎるほどに知っている。

それを、承知の上でえり子が花を植えさせたというのは、この家が自分とえり子の二人のものであると受けとっているように都築には思える。だとすれば、植えさせただけで、なぜ、その花の咲く家に姿を見せないのか。意味あり気な花であるだけに、そんなことをしたまま電話もかけて来ないえり子に、都築は憎悪めいたものさえ感じた。その夜、なかなか寝つけなかった浅い眠りの中で、都築はなん度となく白い花の夢に悩まされた。夢の中の酔芙蓉は薄暮の中でも白く、闇《やみ》の中でも白いままだった。酔いもしなければ、散りもしなかった。

翌日、都築はなん度となく家の外に出て酔芙蓉の花を見た。午前中の白さは凛《りん》としたものを感じさせるほど澄み返っている。ほんのりと紅がさしたのが一時頃だった。二時、三時、紅が増した。白さが厳しいものだっただけに、色づいて来る様は、酒に酔うというよりも、女が自分の内側から突き上げて来るものに抗《あらが》い切れず、崩れて行くありようを連想させた。

四時、都築はもう一度家の外に出て見た。今日の花はなぜか色づき方が早い。白く咲いていたことなど、想像し難いほどの色に変っていた。家の中に戻り、崖《がけ》に面した窓の下に置かれた机に座って、読みかけの本の頁《ページ》を開いた時、玄関の戸のあく音がした。

とっさに都築の頭を走ったのは、まさかという思いだった。で、腰もうかさなかった。とめが玄関の方に出て行く足音が聞えた。普段は好もしい思いで浸りきっている水音がひどく邪魔になった。

都築は立って階段の下り口まで行った。そこが谷川の水音と雪流し水の音の丁度中間になる。とめの声が聞えた。

「よう、おいでました」

とめは奥さまかとも聞かなければ、旦那様《だんな》がお待ちですともいわなかった。

「あなたがとめさん、なにもかもお世話になりまして」

とめに答える言葉の調子は、はっとするほど明るかった。

都築はゆっくりと階段を下りた。

「さ、さ、どうぞ、こちらです」

とめにそういわれながら案内されて来る中出《なかで》えり子と、中庭に面した八畳の座敷で出会う形になった。

「遅かったね」

都築はそう声をかけた。

「思うように歩けないのよ、町が。人ごみで」

えり子はやや黄ばんだ地に朱とも茶ともつかない井桁《いげた》模様の琉球絣《りゅうきゅうがすり》を着ていた。中庭に面しているとはいえ、電灯のついていない座敷は幾分暗い。その暗さの中で、琉球絣の淡い黄はひどく白いものに見えた。その白さは午前中の酔芙蓉の花の色に似ていた。

「こっちだ」

都築はそういうと、とめの手からえり子の荷物を受けとって階段に向った。

「神通川の堤防をタクシーで来たのよ。鮎《あゆ》釣りの船は昔のままなのね。変ったのは小さなエンジンがついているだけ。笠《かさ》をかぶって、船の上から長い竿《さお》を出して、昔、みんなで、あの堤防を八尾まで歩いて来た時のままだったわ。タクシーをとめて貰《もら》って、暫《しばら》く見とれていたのよ」

むきになったように、えり子は都築の背に語りかけて来た。奥の八畳の座敷に入っても止めようとはしない。

都築は立ったままの場所にえり子の荷物を置くと、向き合うように振り向いた。見つめ合う時間をえり子が崩し、胸に倒れこんで来た。

「……とうとう来ちゃったわ……凄《すご》い水の音。……八尾なのね、……ここは八尾なのね」

えり子は自分の顔を都築の胸に埋めこむように押しつけて来た。押しつけながら首を左右に小刻みに振り続けている。都築は抱き寄せた腕を肩に廻すと、そっとえり子の体を自分から離した。

両耳を出して、きつく結い上げられた鬢《びん》に、幾筋か白いものが走っていた。子供の頃に転んでつけたという生え際《は》の小さな傷あとから髪が割れ、その割れ目が斜めに走っている。白眼をほとんど感じさせない瞳《ひとみ》が、じっと都築を見上げていた。

「……来ると思った？」

「いや」

「じゃ、来ないと思ってたの」

「それも違うな」

二重《ふたえ》になって畳みこまれていたような瞼《まぶた》が僅《わず》かにのびた。伏せかけた眼をもう一度はっきりと見開くと、なにかをたしかめるような眼差《まなざ》しで都築を見た。

「同じだわ、私と」

「どう同じなんだい」

「考えないようにしたのよ。そうでしょう」

「ああ」

「それしかないわ」

都築を見つめたまま含み笑いの声をもらした。幾分受け口気味になる。

「そうだな」

「そうよ」

今度は開き加減の唇《くちびる》から笑い声を上げた。前歯の二枚だけが目立つ。学生だった頃、干支《えと》を聞かれると、その二枚の前歯を叩《たた》いて見せて、ビーバーとえり子は答えたものだった。

「君の干支は」

「え？　……ああ」

えり子の眼が見る見る中にうるんだ。肩にかけた手を両頰《りょうほお》に移し、都築は顔を引き寄せようとした。

「待って」

抗《あらが》うのとは違う静かな力で都築の両手を頰から引き離した。

「……知って置かなければならないことが沢山あるわ。話して置かなければならないことも沢山あるわ」

都築から離れると、えり子は山に面した窓をあけた。待ち受けていたように谷川の水音が部屋の中に入って来た。

「ま」

そういったまま、やや暫くは深く切れこんだ流れの底に見入っていた。

「蟬《せみ》よ。でも、ひぐらしの声まで水音が消してしまうのね」

振り向くと、腰高になったその窓の敷居に腰を下ろした。

「あの流れに体をひたしたら、なにもかも流し去ってくれるのかしら」

「なにもかも？」

「ええ、私にまつわりついたものの総《すべ》て、しがらみの総て」

都築は窓に並んで腰を下ろした。

「出て来るのに苦労したのかい」

「呆気《あっけ》ないくらい簡単だったわ。時々はそのくらいのことをした方がいいって。いい出すまでの方が余程苦しかったわ。それから、出て来てしまってからが」

えり子は体をにじるようにして都築の方に向いた。

「列車が駅にとまる度に、下りて戻ろうかと思うのよ。おかしいでしょう。あなたは」

「僕《ぼく》は」

いいさして黙った。説明しきれるものではない。したところで、言訳を並べるにすぎないと思った。

「八尾に行って来る。それだけだ」

「しいちゃんはなんにも聞かないの」

「聞かない」

「そう」

眉根《まゆね》を僅かだが寄せた。同時に、えり子が思わずのけぞるほどの音が空中で弾《はじ》けた。花火だった。十発ほど続いて鳴った花火の音が、谷に木魂《こだま》を残しながら消えて行った。

「なに、あれは」

「間もなく野外演舞場でおわらが始まる」

「野外演舞場……って」

「小学校の校庭の隅《すみ》にコンクリートのステージが出来た」

「まさか」

もう一度眉根に皺《しわ》を寄せた。

「いや、そういちがいに嫌《きら》ったものでもないさ」

「二日間、私のここにはリボンが結んであるわ」

えり子は着物の合わせ目のあたりに指を置いて見せた。

「行って見るかい」

「そう」

「あなたがこうさせたいということはなんでも」

「見に行くのなら御飯の用意を急いで貰おう」

都築は立ち上った。

「ねえ」

えり子の声が追い、えり子自身も窓辺から立った。

「あの人は……どうなさるおつもり」

「どうって？」

「いて貰うの」

「味方が要るんじゃないのかな」

都築は冷静な声でいった。

「……なんの」

「来年は、出て来る時に連絡先の電話番号を聞かれるかも知れないじゃないか」

都築の言葉にえり子は虚をつかれたようだった。

「あの人が出て、太田ですと答えるようにして貰うよ」

えり子はゆっくりと首を左右に振った。

「そんな、来年のことなんて。……今度出て来るだけでも精一杯。……足もとで揺れる吊橋《つりばし》を必死に渡って来たのよ。……この先、渡り続けるなんて」

都築は戻って来てえり子の肩に手を置いた。

「帰る橋だって、矢張り、揺れるんだ」

えり子は沈みこむような動きで窓に腰を下ろした。

「……残酷なことをいうのね」

「ごまかし合っていても仕方がないだろう」

「……でも、やっと歩いて来た人間に、振り返って見ろだなんて」

「そんなことをいってやしない。前だけを見て歩くんだ。でも、この先、いつも足もとの橋は揺れている」

「……そうして、なにもかも見通してなさったことなの？　……この家を買ったことも。……あの人を味方にしようということも」

えり子のけげんそうな表情を浮かべた眼が、真直《まつすぐ》に都築に向けられていた。

「いや、君の顔を見た時に、いろんなことがわかっただけだ。これがなんのための家なのか。君がどうしてこの家にあの花を植えたかったのか」

「私は散る前にせめて一度は酔いたかっただけよ」

「酔う……散る……その間に、また正気に戻って、行ないすました人間になる時間がある……。それはどうしようもない」

えり子は眼を閉じ、そして、ゆっくりと顔を伏せて行った。

野外演舞場につめかけた見物人の数に、えり子はたじろいだように見えた。人々が校庭を埋めつくしている。二人は人をかきわけてその真中に進んだ。仮設の腰掛けに、二人の席を見つけるのがやっとだった。

秋が早い山の町だから、しっとりと夜露が下りて来るのが感じられる。だが、ステージで踊る人間たちと、見る人間を結ぶ一種の熱気が会場全体を包んでいた。これは見せるように演出されていても、民謡の踊りと歌なのだという安心感を誰《だれ》もが持っている。

舞台の上で演じられるのは、観客の感情に訴える悲しい話でもなければ、筋の展開を緊張して見つめるものでもない。その上、スターが一人もいない。だから、見る人間たちは舞台のどこを見ていても良いことになる。ある意味では散漫なショウなのだ。しかし、人々はその散漫さを楽しんでいた。振りに合わせて体を動かそうと、小声で一緒に歌おうと誰も文句はいわない。いわばひどく大仕掛な盆踊りでもある。ステージの奥には、銭湯の壁絵のような、布に描かれた絵が下げられていた。天井の縁には紅白の提灯《ちょうちん》が一列に並んで吊ってある。装置はそれだけだった。ステージの右手に地方《じかた》と歌い手の席がこしらえてあって、各町自慢のおわら歌手たちが次々に出ては歌いついで行く。

越中で立山　加賀では白山
駿河《するが》の富士山　三国一だよ

八、八、八音の囃子《はやし》が一気に歌われ、前囃子に移る。

歌われよ　わしゃ囃す

ここで、五音、五音の伝統的な日本の歌謡の字足《じあし》に変って本歌に入る。

若《も》しや来るかと　窓押しあけて

歌い手が存分に節廻しをきかせ、高音の美しさを披露《ひろう》する。

キタサノサー　ドッコイサノサー

また囃子が入ると、そのあとを地方の演奏が受け持ち、もう一度本歌に戻る。

見れば立山　オワラ　雪ばかり

七、七、七、五の最後の五音は前半を長く引いて、声の艶《つや》を存分に聞かせ、後半をさらりと歌い捨てる。

本歌と囃子は、かけ合いの呼吸《いき》の合ったところを聞かせ、本歌が終って次の囃子が歌われるまでの間を、地方が目一杯演奏の冴《さ》えで訴えかけて来る。その聞かせどころには、ハイッと、スイッとなどという声がかかり、演奏を盛り上げる。

音楽としてのテンポはのろい。人間が足をひきずって歩く速度に似ている。だから、地方も歌い手も、少しでも音程を外すとひどく下手に聞えてしまう。だが、子供の頃《ころ》から弾きなれ、歌いなれて来た人々は、そんな不安は全く感じさせない。引き伸すところは思う存分にのばし、縮めるところは思いきって縮め、単調な歌を個性的なものにして行く。

「この踊りは、動きの美しさより、止った時の線の美しさを見せるものなのね」

えり子が都築の耳にささやいた。都築はうなずき返した。

舞台の上では、一番達者な踊り手が揃《そろ》っているといわれる鏡町の青年団男女が踊っていた。ゆるやかなテンポにのり、手をのばし、体を反《そ》らせ、倍速のテンポで早い振りを交え、突然、美しい形で静止して見せていた。見ている中に、いつ、その静止が来るかが待たれるようになる。静止したと思う次の瞬間には、踊り手はなめらかな動きにとけこみ、動いたと思うと静止に入る。その静止と動きの繰返しが、一種危険なものをはらんでいる。

単純な農作業の身ぶりをとりこんだ踊りなのだが、素朴《そぼく》な動作の繰返しには長い年月の磨《みが》きがかけられていて、息をのむほどの美しさを空間に作って行く。途中に男の踊り手が音を立てて床を踏む振りがとりこまれてはいるが、踊り全体が滑るような浮くような動きに作られているために、見つめていればいるほど現実感が遠いものになってしまう。

笠で深く顔を隠した踊り手たちは、それぞれに見れば個性的な踊り方をしているのだが、全体の演出として、絶え間なく群舞での位置を入れ替えるように作られているので、観客には姿を見せない誰かが、数多くの人形を舞台の上で自在に動かしているように見えて来る。

小学生、中学生、高校生、青年団と世代別になった踊りは次々に交替して場面を変え、青年団の踊りから一転して群舞に移る。舞台の両袖《りょうそで》から、次々に隊列を組んで世代別に出て来た踊り手たちが、入り混り、入れ替りして、いつの間にか一列を作り、左手に作られた花道を静かに踊りながら消えて行った。

都築が気がつくと、えり子は肩を慄《ふる》わせて泣いていた。

「どうしたんだい」

えり子は答えなかった。左手を両眉にあて、顔をかくして泣いている。頬を伝わった涙がえり子の足に続けて落ちた。

「どうしたんだい」

都築はもう一度聞いた。嚙《か》み殺しきれなかったような嗚咽《おえつ》が洩《も》れた。

「……こんなに美しい……なんて。……私、本当は、八尾に来られるなんて、一度も思ったこと……なかったのよ」

えり子のむきになったような呟《つぶや》きが続いた。

「私には忘れられない内灘《うちなだ》のあの海の日があって、あの日から私の中でなにかが変ってしまったのよ……。あの日から自分がなにかをしようと思うと、あの日の海と空が見えるの。そして、私を引き止めるの。必ず、耳もとで、お前になんか出来るわけがないという声が聞えるわ」

都築はうなされる自分の声に驚いて、はっと眼をさますことがある。そんな時に見る夢はきまっていた。

一列横隊に並んだ級友たちが、寮歌を歌いながら、河北潟《かほくがた》から能登《のと》の羽咋《はくい》の方向にのびた砂丘を歩き続けて行く。砂丘と砂浜は上り下りして、見渡す限りの彼方までのびている。右側には割竹を並べた垣《かき》に囲まれた低い這松《はいまつ》の砂防林が続き、左側には轟音《ごうおん》と共に波が叩きつけて来る波打際がある。

その間のひろがりを、三、四十人が三、四メートルの間隔を保ちながら歩き続けている。都築の姿もきまってその中にある。四季の違いが現実にはあったはずなのだが、夢に見る光景は必ず冬で、鈍色《にびいろ》の空が暗く低く自分たちの上にのしかかっている。肌《はだ》を切り裂く寒風の中で、誰もが黒いマント襟《えり》を立てているが、歌いながら寒さに胴震いしているのだ。

寒さは現実のものだけではなかった。

食うものがない。授業料も寮費も払えないほどの貧しさに攻められる。その上、つい昨日まで、軍国少年として生きて来た自分を、どう戦後社会の中にあてはめて生かして行くのかという問題があった。それでなくても、必要以上に人生の意味と真向から向い合う年齢である。何人かが自殺の道を選び、それが一種の連鎖反応を呼んだ。自殺は弱者の道であると説く教授たちと、客観的な批判はなんの役にもたたないと反論する生徒たちが、真剣に怒鳴り合う場面も決して珍しくはなかった。死んで行く仲間の心情は、とりも直さず生き残っている友人たちの問題でもあったのだ。

内灘で死ぬと遺書を残して去った友人たちの遺骸《いがい》を、なん度か級友たちが探しに出た。探す側の誰もが、いつ自分も同じ道を選ぶかも知れないという不安とうそ寒さを抱えこんでいた。

暗い海と空が死を誘う。探す人間たちにもその誘惑が犇々《ひしひし》とこたえる。とはいえ、やはり、自分の歩いて行く先に、冷たくなって横たわっている友人の姿を見出したくはなかった。

波音は歌う寮歌を消し去ろうとする。消されれば、それだけ死が近づいて来るように思える。声を張れば張るだけ、かえって歌は虚《うつ》ろなものになって自分たちの耳に聞えてきた。

その冬の日、砂丘に姿を消したのは、村木という生徒だった。

死ぬ理由を、友人たちに宛《あ》てた長い遺書に書き残していた。書かれていた言葉の殆《ほとん》どを、都築はもう思い出すことも出来ない。だが、忘れられないなん行かがあった。

……えり子さん、本当にあなたが好きでした。でも、それは僕の勝手な気持です。どうか、僕の死にあなたの存在が影を落しているとは思わないで下さい。ただ、覚えていて頂ければ有難いのです。それも、出来ればでいいのですが……。今日からの僕は、僕を思い出して下さる人々の心の中に生きて行きます……

内灘の砂丘の南端にあたる大野川の河口には、四高ボート部の艇庫《ていこ》があった。川面《かわも》に仮屋根をはり出したような船小屋が川筋に並ぶ中で、艇庫はひと際大きく見える。偉観といっても良いほどの大きさなのだが、中は暗く、川面の僅かな照り返しが、板を打ちつけただけの壁にゆらいでいた。

えり子はその板壁を背負う形で、削り放しの一枚板のベンチに腰を下ろし、都築はボートの舷《げん》に腰を下して向い合っていた。無言の時間が続いたままだが、都築には声をかけてやりようもなかったのだ。

遺書の中に、名指しで別れの言葉を書き込む前に、村木はなん度か遠廻しに自分の気持をえり子に伝えようとした。だが、それは村木からの一方的な働きかけに終ってしまっていた。えり子は自分の心を開こうともしなかったし、自分の胸の中にあるものを告げようともしなかった。村木は次第におどけることをしはじめ、えり子は逆に頑《かたく》なになって行った。時には冗談めかした村木の好意の告白に露骨に嫌《いや》な顔も見せるようになった。

元来が遠慮のないグループだった。民主主義学生同盟という敗戦直後に出来た全国的な組織があって、村木はその熱心な運動員だった。ある時、寮費を滞納して寮にいられなくなった村木が、同級の縁を頼って都築の下宿に転がりこんで来た。都築は岐《ぎ》阜《ふ》県の農家の息子で、家に戻《もど》れば食糧は必要なだけ運んで来られる。買出しの取締りに会うことがあっても、生徒証を見せれば、大抵の場合、警官も家を離れた学生は見逃してくれた。村木はその辺のことを知っての上で居候《いそうろう》をきめこんだのだが、旧制高校の同級生づきあいは、自他の財布を無視してかかるところから出発している。頼って来られれば都築も迷惑だとはいえなかった。その村木が近くに住む学生たちをオルグしはじめた。

都築の下宿が、未亡人と娘一人だったという気楽さもあって、民学同に加盟した学生たちがよく集って来た。それらの仲間の中にえり子がおり、後にえり子と結婚する四高理科の生徒の中出、都築の妻になる志津江がいた。民学同の運動は、えり子と志津江の女子専門学校など一、二の学校のストライキを主導した程度で、金沢ではさして高揚することもなく終ってしまう。次第に下火になって行く運動の中で、より強い使命感から、ある政党の青年組織に移って行った学生も多く、村木もそんな一人だった。だが、政党に属することを嫌った学生も少くない。都築たちのグループも、いつか結びついた動機が民学同であったことも忘れてしまうような、親睦《しんぼく》だけのつき合いに変って行った。だが、連帯感を持った記憶は残っており、村木も含めてよく海や山に出かけた。都築たちが最初に風の盆を見に行ったのも、このグループの旅行だった。

そんなつき合いに、村木は欠くことの出来ない一人だったが、政治運動をする学生としての異質なものも捨てずに持ち続けていた。その村木が突然死んだ。

死の原因は、どれが直接のものとは誰にもわからなかったが、誰もが共通の理解に近いものを持っていた。落伍しがちな勉強、身寄りのない引揚者だったという生活苦、学業を遅らせる政治運動、そして、それらが総てからみ合って、本人が生きる気力をなくしたことなどである。

だが、遺書で、ただ一人の異性として名指しをされたえり子の辛《つら》さは格別なものであったに違いない。誰もがそのことを思いやった。

内灘まで探しに行くとえり子はいいはったが、級友たちがえり子を、都築と二人きりで大野川の艇庫に待たせた。それはえり子の気持への思いやりだった。誰もが村木の苦悶《くもん》を残す顔をえり子に見せたくないと思っていたのだ。

這松の中に村木が死んでいるのを見つけたことを、級友の一人が自転車で報《しら》せに戻った時、えり子はものもいわずに河北潟の岸を走った。えり子が身を投げることを恐れて、都築も追って走った。

追いついた時、えり子は潟の広い水面《みのも》に続く一面の枯芦《かれあし》の中で烈《はげ》しい息を喘《あえ》がせていた。

「私は誰かのために生きて上げることが出来たのかも知れないのに……」

瞳《ひとみ》が燃えていた。

「いや、そんなことを考えるのはおかしい。えりちゃんにはえりちゃんの人生があっていいはずだ。村木の死とそれは関係がない」

怒鳴り返すように都築はいった。どのくらいえり子が黙って立ちつくしていたのか、次にえり子が口にした言葉が、いつまでも都築の耳に残った。

「関係ないとはいえないわ。……村木さんに、私には好きな人がいるといったのよ」

それが誰のことであったのか、都築は遂に聞かずじまいに終った。

自分なのかというかすかな思いがなかったわけではない。だが、グループ全体が、えり子を守ってやらなければいけないと思っている中で、都築はかすかな予感のようなものに賭《か》ける気にはなれなかった。真空状態に近い雰囲気《ふんいき》の中で、中出がえり子に次第に近づいて行き、志津江が持前の積極さで都築に持つ好意をかくさなくなって行った。

ステージでは踊りが続いている。えり子は俯《うつむ》いたままだった。涙をふこうともしない。

「駄目《だめ》じゃないか、見なきゃ」

「見えてるわ。全部見えてる。こうして聞いていれば、全部が戻って来るのよ。村木さんに好きな人がいるといった日のことまで。……あの内灘の日に、誰かのために生きることが出来たかも知れないといったわね。……あそこで私の人生は終ったと思って来たのよ。だから、八尾なんてことは、ただ、口にしただけ。……自分でいい出して置いて、……それが出来るなんて、……ちっとも信じてはいなかったのよ。……だから、八尾に私たちの家があるってことを聞いた時、どんなに嬉《うれ》しかったか……。でも、それでも、まだ、いい出した時のように、来られるなんて思ってはいなかった……」

人混みの中で、両手で顔をおおうことが憚《はばか》られたのだろう。えり子は曲げた自分の左肘《ひじ》を足につき、慄える顔を辛《かろ》うじて左手で支えていた。滴《したた》る涙が、見る見る、琉《りゅう》球絣《きゅうがすり》の地色を変えて行った。

七年前、一九七三年秋、都築は中東戦争の休戦交渉の経過を伝えるＡＰ電をパリ支局で読んでいた。アメリカが本格的に介入して来たことで、漸《ようや》く中東に平和の兆《きざ》しが見えたと考える東京本社に、都築は腹を立てていた。パレスチナ問題を避けて通った休戦協定はその場しのぎにすぎない、解決はまだ遠いというのが都築の考えで、悲観的な見方の記事を何本か東京に送った。だが、どの原稿も紙面にはのらなかった。アメリカの各支局は勿論《もちろん》、近くのロンドンからも、同僚たちが本社の見方に迎合した記事を送り、それらは華々しく紙面を飾るのだが、都築のものだけが握りつぶされ続けた。

電話が鳴った。

「はい、都築」

取り上げた受話器に怒鳴り返す勢いで都築はいった。今しがた東京に申し込んだ通話がつながったと思ったのだ。受話器は答えなかった。

「はい、都築」

もう一度いった。フランスの電話の事情は極端に悪かった。混線などはしょっちゅうのことで、ダイヤルを廻しても発信しない、鳴った電話に相手が出ないことも決して珍しくはなかった。

「こちら、都築」

三度目にそういった時に、軽い咳払《せきばら》いが聞えた。女だった。

「……あの……私です、中出えり子です」

都築は信じられない思いで聞いた。電話線を伝って来た声は、国際電話特有の増幅器にかけた響きがない。パリの中からかけて来ている声に違いなかった。

「どこから」

挨拶《あいさつ》の言葉より先に、率直な疑問が口をついた。

「ジョルジュ・サンクの隣にあるホテル・エリザベスです」

そのホテルは知っていた。日本の資本が入っている関係で日本人客が多く、日本レストランを持っている。

「一体なにをしに」

また、挨拶よりも知りたいことが先に出てしまった。

「中出がこちらでの学会に。気が進まなかったんですが、死ぬ前にパリだけはどうしても見て置けというものですから。それに」

そこまでいって、えり子は言葉を切った。都築は待った。学生時代から、自分の頭の中にあることを追いつめながらものをいう癖がえり子にはあった。思った通り、途切れながら、次が続いた。

「……矢張り、パリだから」

話の筋が真直ではない。だが、待った。

「パリにはあなたがいるし、私もとしをとりましたから。……日本ではとてもお会いする気にはなれないけど、パリでなら、もう一度だけ、例外として……あなたもお上《のぼ》りさんを沢山見ているでしょうし……会って下さいますか」

「勿論、で、中出君は……」

二年浪人して四高に入って来たという中出の大人びた顔を思い出していた。中出は京都の大学を卒業して、国立病院に勤め、心臓外科のスタッフになったことを聞いている。

「今日、明日は学会が休みで、ロアールの城めぐりに出ました」

「あなたは残ったんですか」

「はい」

全く迷いのない明快な返事で、軽い含み笑いが後に続いた。

「都築君になにか美味《おい》しいものでも御馳走《ごちそう》して貰《もら》うんだなと笑って出て行きました」

「僕《ぼく》に会うといったんですか」

「いいえ。でも、臆病《おくびょう》な私が飛行機に乗ってパリに来る気になったのは、あなたがパリにいるせいだと知っていますもの」

「わかりました。お迎えに行きます」

「いいえ、ここへは来ないで」

「なぜです。そこが一番わかりいいじゃないですか」

「ここには中出と一緒に泊ってますから」

どきっとするようないい方だった。

「私の身にまつわりついたものが感じられないところで……。その方が私も嬉しいし」

「わかりました。ジョルジュ・サンクの前の道を、シャンゼリゼを背にして真直に歩いて下さい。セーヌ川にアルマという橋がかかっていて、その橋が見える広場に、フランシスというカフェがあります」

「時間は」

「今からすぐ。この支局から歩いて六、七分、そっちからは五分もかかりません」

「お仕事は」

「そんなもの、いいんです」

都築は電話を切ると、もう一度ダイヤルして、東京への通話を取り消した。

秋も終りに近づくと、セーヌ川をわたる風が一段と強く冷たくなる。短い距離でもタクシーにすれば良かったと思いながら都築は歩いた。橋にかかった時、トレンチ・コートの裾《すそ》を懸命に押えながら歩いて来るえり子の姿が眼に入った。長目のブーツをはいているが、吹き上げられるスカートの下から足が見えるのを防ぎかねていた。都築は走るように歩み寄った。

「あのカフェにいて下さいといったでしょう」

ほとんど裸になってしまったマロニエの木々の下で、ガラスを張りめぐらせたカフェを指した。同時に反対の手をかばうようにえり子の肩に廻してやった。

「無理よ」

えり子はその腕の中で都築を振り仰いだ。

「なにが」

「座ってろなんて。出来ないわ、そんなことは」

「どうして」

「電話をかけてしまったあとは、一歩でもあなたに近づきたかったのよ」

「もし僕がほかの道を来たら行き違いになってたでしょう」

「調べてありました、地図で。あなたの支局がどこにあるかは」

都築は抱きしめてやりたくなった。しかし、肩に廻した手に力をこめただけだった。

えり子が来た方に歩き出すと、橋桁《はしげた》に背をもたせた若い娘と、身を屈《かが》めるようにした青年が唇《くちびる》を重ねていた。近づくにつれて二人の喘ぎさえ聞えてくるように思えた。美しい。足もとに落葉を舞わせる風で、若い娘の金髪が吹き払われるように揺れていた。だが、二人の周囲を包みこむ空気だけが、ほんのりと暖く感じられる。心なしか、えり子が顔をそむけた。今ならえり子を抱きしめることが出来る。そう思ったが、都築はえり子に廻した腕に心もち力をそえただけで二人の側《そば》を通りすぎた。

転げこむようにカフェ・フランシスに入り、焼けるように熱いホット・オレンジを持って来てくれと注文した。寒さの中を歩いて来たせいか、それとも、橋の上で見て来た恋人たちの気持のありようが影を投げたのか、えり子の頰《ほお》が紅《あか》みを帯びていた。ホット・オレンジをひと口のみ下したあとで、えり子がいった。

「美しいのね」

「なにが」

「あの、橋の上の二人」

顔で橋の方を示した。

「ああ」

「……二人だけの世界にいて……時間が全部二人だけのもので……私の一生にはとう

とう……」

そんな日はなかったというように、えり子はゆっくりと首を左右に振った。

「ねえ」

一転して静かな呼びかけの声になった。その声にふっとひっかかるものを感じて、都築はえり子の顔を見返した。

「不倫かしら、これは」

「まさか」

そう答えはしたが、笑いとばしきれないものが残った。

「そうね。この程度のことは、昔からなん度もあったわね。無事に来たのが不思議。でも、いつも、あなたが逃げたわ」

「違うな。それは」

「そうかしら。私はそう思って来たわ」

「違うよ」

えり子は今度はいい返さなかった。金具に入ったホット・オレンジのグラスを両手で包みこむようにして頰にあてた。

「白々あけについたのよ、この町に。タクシーで運ばれて来ながら、しみじみ考えたわ」

「なにを」

「こんなに不倫の似合う町があっていいのかしらって」

「本場だよ」

えり子は視線を恋人たちがいた橋の方に泳がせた。

「これだけ町が綺麗《きれい》だったら、人間のどろどろしたものくらい、大抵はのみこまれちゃうわ。しいちゃんはよく平気ね。こんな町にあなたを一人で放《ほう》り出して置いて」

「ニューヨーク、ロンドン、サイゴン、ジュネーブ、僕が特派員に出たところへ、あいつは一度もついて来たことがない」

「どうしてなの」

「どうしてかな。あいつも理由をいったことはないし、僕も聞いたことはない」

「そんな夫婦ってあるかしら」

「あるもないも、現にここにいるじゃないか。その片割れが」

「どうして首根っこをつかまえても連れて来ないの」

「そんなことをしたら、あいつが死ぬからだろうな」

「死ぬ？」

「ああ。自分が選んだ道を歩いている限り、あれは女として輝やいて生きられる。でも、他人にこうしろと無理強《じ》いされると、途端に駄目になる。そんな女なんだ」

「それを許して来たんでしょう、あなたが」

「鶏と卵みたいな話だな」

「鶏は卵を大事に暖めて来たのよ」

「そう思ったことはただの一度もないな。仕事をしている時のあれは有能な女だよ。女が自立しなければいけないというあいつを、ジャーナリストとして僕は立派だと思う。でも、そんな女が女房《にょうぼう》として望ましい女かどうかは全く別な問題だ」

「しいちゃんを女房としてしつけなかったのね」

「そうらしいな」

「今になってそれをあの人のせいにしてはいけないわ。しつけないで来たことも愛なのよ」

「そんな次元の高い問題じゃないさ」

「そうかしら」

「僕はね、こんなバタくさい商売をしているけど、古い型の人間なんだ。だから、着物が好きで、人がほしがる大抵のものは持っている。でも、家の中では着たことがない」

「なぜ」

「簡単なことさ。二日も着れば洗い張りに出さなきゃならないほど汚れるからだよ」

えり子は声を上げて笑った。

「掃除が嫌《きら》いな女はしいちゃんだけじゃないわよ」

「でも、あいつは亭主《ていしゅ》の着物を汚さないために畳を拭《ふ》いて廻るなんてことは、女の屈辱だと思ってるのさ」

「では、なぜ別れなかったの。なぜ着物のために畳を拭くのが愛だと思う女を探さなかったの」

「行きがかりだな」

「行きがかり？」

「畳を拭かないことは、それだけで一人の女を駄目な人間だときめつけてしまう理由にはならないからさ。ところが、それは日常になる。習慣化する。こちらが慣れる。諦《あきら》める。振り向いた時には長い歴史が出来てしまっている。男と女って、みんなそんなものじゃないのか」

えり子は広場の向うにアルマ橋を見渡す席に都築と並んだまま身じろぎもしなかっ

た。

「じゃ、逆に聞くが、君のところはこの二十年愛だけでつながって来ているのか」

えり子は答えなかった。

「……すまん、悪いことをいったんだったら許してくれ」

えり子はひと口のんだままで冷えてしまったホット・オレンジのグラスをテーブルに置いた。

そして、同じ方角に向けていた視線を、身をよじって都築に向け直した。

「……日常、……習慣、……馴《な》れ、……諦め、それから、娘。……命ひとつを作ってしまった重さ。……ね、お願い。どこでもいいから、私をこの町から連れ出して。こんな話をするつもりじゃなかったのよ」

セーヌ川河口をこえるあたりでは突風を伴う雨になった。海の見える町というえり子の希望で、エトルタという海水浴で有名な町を目ざしたが、途中の高圧線が切れた事故で真直《まっすぐ》には進めなかった。都築は地図を頼りに車を迂回《うかい》させた。どこで間違えたのか、田舎道に入りこんでしまったらしい。左右に広がる畑の中を雨にぬれた泥道《どろみち》が蛇行《だこう》しながら走っている。いく群れかの牛が草を喰《は》んでいるが、眼に入る限りの周囲が冬景色だった。地図を見直そうと、車の速度を落した時だった。

「とめて」

低いが鋭い声をえり子が出した。都築はブレーキを踏んだ。

「どうしたんだい」

えり子は答えずに、うつけたような顔でフロント・グラスの先を見ていた。

「どうかしたのかい」

「……あれよ。ね、あれ、本当のこと」

視線を辿《たど》ると、えり子は見開いた眼で三叉路《さんさろ》に立つ標識を見ていた。

「トンブ……お墓のことでしょう」

アンドレ・ジッドの墓、〇・五キロと書いた標識の矢印が右を指していた。

「こんなことって……でも、嘘《うそ》じゃないわよね」

信じられないという声だった。

「ジッドの墓……ねえ」

「恐《こわ》いわ」

僅《わず》かそれだけの言葉の底に、いいつくせないものがこめられていた。えり子は勿論のこと、都築も二人の周囲にいた人間たちも、競ってジッドを読んだ。そんな時代だったのだ。

どの小説の、どんな内容ということよりも先に、ジッドの名が、そのまま記憶の中に金沢の日々を呼び戻《もど》す。

「恐いって？」

都築は意識して平静な声を作った。

「呼ばれてるのかしら、私たち」

見ると、えり子は眼を閉じていた。

「連れて行って」

矢張り眼は閉じられたままだった。

すっかり葉の落ちてしまった木々の疎林《そりん》に囲まれた小さな集落があり、石積みの塀《へい》を廻した屋根の低い教会を、十数軒の家々がとり囲んでいた。墓地は教会の裏手で、思ったより狭く、名前、生年、没年だけを刻んだ墓石は平らに寝かされていた。

素っ気なさすぎるほどの墓の表面を、時折、大粒の雨が叩《たた》いては散って流れた。風がトレンチ・コートの裾を吹き上げ、雨がひっつめに結んだ髪のほつれをえり子の頬に斜めに走らせた。えり子は動かなかった。

「ぬれるよ」

ともいわせない厳しいものが横顔にあった。五分ほども墓の前に立っていただろうか。今度は追いたてられるように、足早に墓を後にした。

えり子が口をきいたのは、車が走り出して暫《しばら》くたってからだった。

「……狭き門のアリサのように愛されることを祈ったわ。……でも思い通りになったのは結末だけ」

結局、エトルタまではつけずに、途中のフェキャンという町で日が暮れかけた。都築は町をぬけると、海を見下ろす台地に上って車をとめた。

町ごとのみこみそうな烈《はげ》しい波が堤防に叩きつけて来ている。ヘッドライトの中に、波のしぶきがはね上げられ、風に吹き流されるのが見えた。エンジンを切ると、風の音と波の音だけの世界になった。時に川の流れを叩きつけるような雨が来る。その度に、車は海の中に吹き落されそうに揺れた。そして、日没が来た。夜目にも、空が真黒な雲に掩《おお》われてしまっているのが見えた。時に、遠い海面を撫《な》でて行く灯台の光が、異常な高さにまで上る波頭を見せては消えて行った。

墓の村を出てから殆《ほとん》ど口をきかなかったえり子は、闇《やみ》と轟《とどろ》く波音の中でも黙って座っていた。

「パリで、こんな話をするつもりじゃなかったといったね」

〝思い通りになったのは結末だけ〟という言葉が、まだ都築の耳の底に残っていた。

だが、それを忘れたようないい方をした。えり子は答えなかった。

「なにか話したいことがあったのかい」

都築は重ねて聞いた。えり子はまだ答えなかった。風の音が刻一刻と烈しくなるのが感じとれた。都築は煙草《たばこ》に火をつけた。喫《す》う度に、かすかに光を増す火が、隣に座っているえり子の体の所在を僅かに都築に感じさせた。

「ねえ」

えり子がいった。

「一生そうして、御自分でわかっていることでも、念を押さなければ前へ進めない人なの」

今度は都築が答えなかった。

「私がいまあの風の盆の夜を思い出していて、あなたに話したいことはたったひとつしかないことは、よくわかっているはずよ。……ね、あなたもこの風の音に、あの日の風を重ねているでしょう」

「ああ」

「……あなたはどうして私を選ばなかったの。私なら涙を流しながらでも畳を拭いたはずよ。そんな女だってことはわかっていたんでしょう」

「……それは……ね」

「だったら、なぜ」

「多分、あの風の盆の夜のせいだろう」

「……矢張り、そうだったのね。でも、私はその前に自分の気持は伝えたはずよ。私にしたら崖《がけ》から身を投げるような思いで」

「……ああ」

「いつのことを話してるのかわかってらっしゃるの」

「……うん。あの年の夏のはじめのことじゃないのか」

えり子が自分の両手で自分の両腕をつかむのがかすかに見えた。えり子自身の胸を抱きしめるしぐさに思えた。えり子はそうよとはいわなかったが、彼女の動きで、都築には自分の返事が正しかったことがわかった。


東京の大学に進んでいた都築は、その夏、久しぶりに金沢を訪れた。卒業論文の資料を集めるためだった。小松の家に京都から戻っていた中出も顔を出し、都築が泊ることになった金沢時代の下宿には、昔の仲間が沢山集って来た。

誰《だれ》が誰とというはっきりした組合わせはまだひと組も出来上ってはいなかったが、

志津江が更に都築に強く惹《ひ》かれており、中出がえり子との交際を深めていることは誰もが知っていた。仕事を選び、生きて行く相手を選ぶ時期にあたっているせいで、親しさを深める組合わせは、周囲から眩《まぶ》しそうに見られた。そして、仲間たちが一歩引くことで、本人たちの結びつきが、また濃さを増していった。

都築がしていたことは、銭屋《ぜにや》五兵衛が金沢の外港金石《かないわ》町に残したものだという三階建の蔵一杯につまった俳書の調査である。古い和綴《わとじ》の本を一頁《ページ》一頁繰って行き、金沢の俳人堀麦水《ほりばくすい》の作った句を出来るだけ多く拾い集め、その上で作家論にかかる。都築はそんな構想を持っていた。

手助けがほしかった。調べにかかって四、五日たった夜、仲間が集っていた時に、都築はそれとなくそのことを話してみた。私がやるわ、志津江が当然そういうだろうという顔で、仲間たちは志津江を見た。だが、〝大変ねえ〟志津江はそういっただけだった。秋に公演される英語劇の稽古《けいこ》に熱中していた志津江は、自分が助《すけ》っ人《と》として求められていることなど気づいてもいないように見えた。

仲間たちが連れ立って帰って行ったあとで、えり子一人が戻って来た。えり子は普段には見せないような固い表情で玄関に立ったままいった。

「さっきの金石のお話、私に手伝わせて下さい」

「……有難いけど……でも」

都築は語尾を濁した。中出のことが頭にあったからだ。

「私がやりたいんです。歌や俳句が好きなんだし、それに……」

えり子はいいさしたまま迷っているように見えた。だが、ぐっと顎《あご》を上げるとはっきりいいきった。

「誰かに相談しなければいけない理由はひとつもないわ。……私がしたいことをするのに」

都築は黙ってえり子の顔に眼を注いでいた。えり子はそれを都築のためらいととったらしい。

「もし、しいちゃんが余計なことをするといったら、あなたがしなきゃいけないことを、私が代ってしているんだといい返すわ」

えり子の顔に浮いていたつきつめたものにのまれたように、都築はただうなずいた。

えり子は腎臓《じんぞう》が弱い。疲れて来るとよく高熱を出した。そのせいで、仲間たちと内《うち》灘《なだ》の海へ泳ぎに行っても、えり子だけは海に入ろうとせず、松林の中で休んでいた。そんなくらいだから、暑い夏の日を、風通しの悪い蔵の中に座り通すのが楽なわけがない。健康な都築にさえかなりこたえることだった。一日が終ると、えり子が口もきけないほど疲れているのが都築にもわかった。

「今日は一人で行くから休んでいいよ」

そういうつもりで、下宿を出るのだが、えり子の家につくと、もう弁当を用意していつでも出かけられるように待っている。そんなえり子を見ると、ついいい出しかねてしまうのだった。

めざす麦水の句が見つかった時、えり子は高い歓声をあげたり、足音を忍ばせて来て、都築の背からすっと本を出して驚かせたりした。出来の悪い句だなと思っても、それがえり子が見つけたものであれば、都築にはとり分け貴重なもののように思われるのだった。

えり子は三階から、都築は一階から調べ始め、二階で出会った。〝早く二階で会いましょうね〟最初の頃《ころ》、えり子はそういいいいして三階へのぼって行ったものだが、二階を残すだけになってからは、都築には調べ終る日が来るのが惜しく思えた。同じ空間にえり子が動いている充実感にくらべられるものを、今まで味わったことがなかった。

「これはあなたの仕事よ」

最後の一冊を残すだけになった時、えり子はそういって渡してよこした。えり子は一頁一頁繰る都築の動きを、身じろぎもせずに見まもっていた。

「終ってしまうのねえ」

最後を吐息と共にいったが、顔には満ち足りた微笑をうかべていた。

「あったの？」

都築の手の動きがとまるのを見て、すっと体を寄せて来た。ほつれ毛が都築の頬《ほお》にふれるほどの近さだった。

「……漁火《いさりび》涼し寄らば悲しきことや見む……鵜飼《うかい》かしら」

「多分ね」

「……美しく見えるものには近づくなってことなのかしら」

えり子は眼を閉じた。蔵の薄暗さの中で、えり子の着ていた淡いブルーのワンピースがほの白く、幻のように見えた。夏の薄もののせいで、胸だけが現実の厚みをもって、肩が呼吸の度にかすかに上下していた。のびて来る手を待っている肩であることが都築に感じとれた。しかし、今の時は二度と来ないかも知れないとの思いにせめられながらも、都築は黙って座ったまま、えり子の横顔を見つめていた。自分の腕の中に倒れこんで来るえり子の幻が、なん度となく眼の前に浮いては消えた。都築がその肩に手をのばさなかったのは、ただひとつ、先がどうなって行くにしても、志津江のことが宙ぶらりんになっているとの気持があったからだった。志津江と愛の言葉をかわしたことはなかった。ただ、志津江がどう思い、周囲がどう考えているかが、都築にわかっていたにすぎない。自分の気持に歯止めをかける理由にはならないことはわかっていた。だが、なぜか、その理由にもならない理由に眼をつぶれなかった。

別の土地に住む別の年代の人であれば、都築は迷わなかっただろう。しかし、二人は小学校からの同級生で、隣合わせた町内に住み、仲間たちが集って来る時は、どちらも欠かせない存在だった。志津江が傷つくだけではすまない。志津江の負った傷は、そのままえり子に重い荷を背負わせることになる。

都築にはえり子が眼を閉じていた時間がひどく長いものに思えた。自分の身をどう扱って良いのか、見当もつかず、ただ困り果てた。〝ああ、今の時が過ぎて行く〟そう思いながらも、都築にはどうすることも出来なかった。

「終ったね。本当に有難う」

ふと、自分でも思ってもみなかった言葉が口をついた。それは、なにかを断ち切るようない い方になってしまった。都築は苦い悔いを嚙《か》みしめながら、本を整理し、自分が持ちこんだノートや鉛筆類を片づけ始めた。えり子は都築の声で眼をあけたが、暫くは動こうともしなかった。

蔵を出て母屋《おもや》に礼を述べに行くと、俳人で医院を開業している主人が二人を待っていてくれた。

「都築さん、私の家のこの蔵書は沢山の学者の方が調べにおいでになりました」

主人はなん人かの著名な人物の名をあげた。

「でも、こうして見ていると、あなたほど熱心に勉強なさった方はありません。ですから、あなたは学者におなりなさい」

都築にそういい、えり子の前に麦茶を入れたコップを置いてやりながら、主人はつけ加えた。

「あなたも……。学者の道は苦しい上に恵まれないものです。でも、あなたのような方が側にいれば、歩けない道ではありません」

えり子は身を固くして自分の膝《ひざ》に眼を落していた。

軽便《けいべん》鉄道への道を、二人はほとんど無言で歩いた。えり子は真赤《まつか》な日傘《ひがさ》をさして、都築から、やや遅れるようについて来た。

駅といっても、一尺ほどの土盛りをしたフォームと駅名の標示板があるだけで、陽《ひ》を遮《さえぎ》る屋根もない。繁《しげ》り放題の夏草の中を二本きりのレールが走り、草はレールの高さを遥《はる》かにこえていた。一面の青田の遥か彼方に白山連峰が見えた。

遠い山から、電車の来る河北潟の方向に眼を戻した時、視界の片隅《かたすみ》でチラと赤いものが揺れた。振り向くと、力をなくしたえり子の日傘の手がゆっくりと下り、えり子が眼を閉じて体ごとうしろに倒れて行くのが見えた。都築は数歩の距離を飛ぶようにしてえり子を抱きとめた。こんなにと驚かされる軽さで、いかにも華奢《きやしや》すぎるほどの骨組だった。

「えりちゃん」

揺さぶると、えり子はうっすらと眼を開いた。

「……あなたは……学者にはならないし……私もきっとあなたの側には……いられ……」

気を失ったらしく、えり子の瞼《まぶた》がすっと下りた。幸せな夢を見ている寝顔のような顔でえり子は都築の腕の中にあった。

風の音だけだった世界を追い払うような鋭い音がひびいた。はっと吾《われ》にかえると、警笛を鳴らしながら、軽便鉄道の車輛《しやりよう》が近づいて来ていた。えり子の手をはなれた赤い日傘が、線路の雑草の中に転がっている。それをとってどかせというらしく、運転手は二度、三度と警笛を鳴らした。えり子が眼を開いた。

「……私……」

意識が戻ったと見えて、周囲と都築とをなん度か気ぜわしく見くらべた。フォームの上に足を引き寄せて座り直した。都築が日傘を拾おうと立ち上った時、風が日傘を軽々と中空に舞い上らせた。遠い白山連峰と手前にひろがる青田との世界に、突然、一輪の真赤な花が咲いたように見えた。その直後に、ブレーキのきしむ音をひびかせながら、軽便鉄道が滑りこんで来た。

仲間たちが風の盆に出かけたのは、その数日後のことだった。

車の揺れが増した。吹き降りも風の音もますます烈しくなって行くようだった。灯台からの廻る光の中に、波頭だけでなく、横殴りの雨が見えた。

「あの夜のことをどう思ってらっしゃるの」

えり子は胸を抱くようにしたまま、身じろぎもせずに聞いた。静かな声だった。

「どうって、見たことがひとつ。……それから、聞かされたことがひとつ」

「話して」

「……僕《ぼく》らが行った日は二百十日で、文字通り風の盆になってしまった」

「そうね。……丁度、今夜のようだったわ」

「泊めて貰《もら》うことになった寺で、みんなが雑魚《ざこ》寝《ね》したんだが、ふと眼がさめると、君と中出君がいなかった」

「そう。……私は中出に話したいことがあるといわれて外に出たの」

「君たち二人がいないことがわかって、僕はもうそのまま寝つけなかった。そしたら、なん時頃だったろう。うちの奴《やつ》が起き出して外へ行って、間もなく戻って来た」

「……ええ」

「そのあと一時間ぐらいして、君が入って来て、すぐあとに中出君が帰って来た。……僕が知っているのはそれだけだ」

「……で、聞かされたというのは、しいちゃんね」

「ああ」

「しいちゃんは私たちが話している側《そば》を通ってお手洗いに行って、また戻ったから。……あの人はなにをいったの」

「……いいよ、それは、もう」

「良くないわ。私は私が戻った時、あなたが眼をさましていたのを知っていたわ。だから、外でなにをしていたのかを聞いてくれると思ったのよ。きちんと説明出来たわ。……でも、あなたは聞こうとはしなかった。……待ったわ。東京まで行こうと思ったこともあったのよ」

えり子は息をついだ。

「でも、私の方から聞いて下さいという筋合じゃないでしょう。そんなふうに迷っている中《うち》に、……しいちゃんがなにかいったのではないか……って。……あの風の盆のあとからだもの、あなたがどことなくよそよそしくなったのは」

「今となってはどうでもいいことじゃないのかな」

「そうね。……そうかも知れないわね。でも、教えて下さい。私が考えたことがそこまで当っているのなら、その先がわからないのは残酷なことよ」

都築は答えなかった。

「じゃ、私から聞くわ。……しいちゃんは私たちがお堂の外で抱き合っていた……といったのね」

「……ああ」

「矢張り……。でも、それは嘘よ」

「なぜ、そう拘《こだわ》るんだい。僕たちはあれから二十年も別々に生きてしまったんだ」

「だからよ」

えり子が烈しく都築の方に向き直った。

「あの晩があったから、二十年があることになったのよ」

自分の荒い呼吸を静めるようにしてえり子はいった。

「あの晩、私は初めて中出に好きだといわれたの。一緒に生きてほしいって。生涯《しょうがい》に、一度だけよ。あの人があんなに情熱的になったのは。……しいちゃんが通って行ったのを見て、帰って来る時間を見計らったように、あの人は私の肩を抱いたわ。私の顔を自分の胸に押しつけるようにして……なにかが不自然だったわ」

「そうかも知れないな。……でも、そんなことをいって探って行けば、人間のすることなんて、不自然なことばかりじゃないのかな」

「そうね、それだけのことだったらね」

「それだけって、ほかに、なにかがあったのかい」

「子供が出来たなん年かあとに聞かされたわ。……しいちゃんは中出に、あなたがえりちゃんをしっかりつかまえてないから、金石でのようなことをするんだ、都築さんと私はもう離れられない関係になってるんだから、雑音を入れるのは止めさせて頂戴《ちょうだい》
……そういったそうよ」

「嘘だな、それは」

「どっちが」

「いったということも、話の内容も」

「そうかしら。……そう思う？　女はそのくらいのことはするわよ、自分が好きな人を手に入れるためだったら」

「ちょっと待ってくれ」

都築は遮った。もう一本、煙草に火をつけた。ライターの光の余波の中に、えり子が体をねじるようにして自分の方を見つめているのが浮き上った。

「あの晩だが……君はどこに寝ていた」

「女四人の一番端。あなたが男の一番内側で、その隣がしいちゃんよ」

「そうか、僕は起されたのか、……あいつに」

「なんの話をしてらっしゃるの」

「うっすらとしか覚えがない。……でも、僕は血圧が低いせいで、一度寝こんだら、滅多には起きないんだ。それが、あの晩は、二、三度蹴《け》られるか、殴られるかした。眼がさめた時、あれのはいてた白いズボンの足が僕の体の上に乗ってた。にが笑いしながら、それを元へ戻してやるのに……そうだ。起き直ったら、君と中出君がいなかった。しかし、おかしいな、人間のすることなんて。……全部君がいった通りだとしても、いや、多分、その通りだったと思うけど、二十年たって、こうして、ノルマンディーの崖の上で話し合って……納得が行っても、なにが戻って来る」

「戻らないわ。……でも、私が本当にいいたかったことは、まだ、いってないわ」

「なんだい、それは」

「もう一度、一度きりでいいから、あなたと風の盆に行ってみたい……。ね、私を風の盆に連れて行って下さい」

思ってもみないことだった。

「驚いてらっしゃるの」

「いや。でも、なぜ」

「私の生い立ちを知っているでしょう。父がない子だということを」

「ああ、でも、それは君たちの年齢で、金沢では決して珍しいことじゃなかったさ」

「だからよ。……恥じもしないし、ひがみもしなかったわ。でもね、私には、身についてしまって、どうしても捨てられない考え方があるのよ。……それはね、いつも、自分はここにいていい人間なのかと考えてしまうことなの。間違っている場所に立っているのではないか。ほかに自分の本当の居場所があるのではないか。……中出のこともそうなの。そんなに求めてくれるものなら、私はそこを居場所にきめてもいいんじゃないか。……そう考えたのよ」

「君は……不幸だったのか」

「いいえ、とっても幸せでした。……中出は勿体《もったい》ないくらい大事にしてくれたわ。仮に、あなたとの二十年があったとしても、こんなやすらぎに満ちた日々が送れたかどうか……。でも、八尾には連れていってほしいのよ。あなたに差し上げるものはもうなんにも残っていません。出来ることは、……小さな箱に、この胸の中にあるものを入れて、綺麗《きれい》なリボンをかけて……」

語尾が泣き声の中に消えた。

「八尾なら、僕も行きたい。でも、どうしてもというのだったら、はっきりいって置かなければいけないことがあるよ。……それは」

えり子は待っていたように聞き返した。

「それは？」

「もう、僕たちは遅すぎる。だから、なにも戻っては来ない」

「そんなこといってません。いいのよ、なにも取り戻せなくても。ただね、私の一生で、一回きり、私は自分がいていい場所かどうかも考えずに、自分で選ぼうとしたのよ。それを、あなたは気づいていながら通りすぎたわ。……ですから、今度だけは……。今日、お会いするなり、不倫だ、不倫だといったわね。……いいのよ、不倫で。私の血がいわせることだと思って下さって。……ただ、あそこから、今の二十年が始まったのよ。だから……だから」

泣き崩れたえり子の肩に、都築は手をのばした。抱き寄せようと、手に力をこめた。

えり子の体は、その手の中にやわらかくそっては来なかった。

「待って下さい。……風の盆の八尾まで」

えり子は体を固くしてそういった。

一週間ほどして、アンカレッジの消印が押された航空便の封筒が都築に届いた。中には一首だけ和歌が書かれていた。

憂《う》しと思ふ　哀《かな》しと思ふ　いく筋か
たどらで過ぎし　道を想《おも》へば

野外演舞場での踊りが終ると、見物客の数が急に減る。八尾の町の中には旅館は数軒しかない。富山、金沢、高山などの方角をめざす観光バスが出て行き、車で来た客も大方は帰って行く。

だが、人が少くなった八尾の町は淋《さび》しくはならない。見せるためだった演舞場での踊りが終り、二日目の深夜からやっと自分たちだけが楽しむ風の盆になるからである。

各町内で輪踊りが始まる。自慢ののどと楽器の音色を聞かせる小さな群れが、辻《つじ》から辻へと廻り始める。都築はえり子を連れて『華』に入った。

「ああ、とうとう奥さんがお見えになりましたね」

水谷はえり子を見るなりそういった。

「ほんとや、綺麗な方やね」

水谷の妻の三枝子が側から相槌《あいづち》をうった。えり子はニコニコして会釈《えしやく》を送っただけだった。その態度は長年連れそった妻そのものという感じに見えた。だが、水谷がコーヒーを出してカウンターの中に引っ込むと、えり子はすっと顔を寄せて来て都築にいった。

「これで二度目よ。あなたの奥さんに間違えられるのは」

「二度目？」

「そう、金石《かないわ》で」

「ああ」

「嬉《うれ》しかった、あの時は」

「では、今は」

「わかりません。なんの自信もないのよ、私には」

ふっと声が沈んだ。都築はコーヒー茶碗《ぢやわん》の脇《わき》に置かれたえり子の手に、そっと自分の手をのせた。

「都築さん」

主人の水谷に呼ばれて振り返ると、三枝子が浴衣《ゆかた》に着がえてカウンターの外に立っていた。

「馬鹿《ばか》げてると思いませんか」

「なにが」

「今からこいつが踊りに出るから、私に店番しろというんですよ」

「いいじゃないか、可愛くて」

「なにが可愛いもんですか。元をただせば、こいつは八尾の女じゃないんです。山奥の村から嫁に来たんですよ。それが一人前の顔をして、八尾生れの私に店番させて踊りに行くなんて」

「たしかによそから来ましたけど、いまはあなたの女房《にようぼう》だから、私は八尾の女です」

三枝子はムキになっていい返した。

「俺《おれ》の女房なら、私が店番しますから、あなたはどうぞ踊ってらっしゃいぐらいのことをいったらどうなんだ。いつも先に出て行くのはお前じゃないか」

やりとりを聞いて、えり子は堪《こら》えかねたように笑い出してしまった。

「いいよ、僕たちはもう出るから、早じまいにして、二人揃《そろ》って踊りに出たらいいじゃないか」

「そんな、追い立てるようなつもりでいったんじゃないんです。どうかゆっくりして行って下さい」

二人は笑いながら店を出た。

「楽しい御夫婦ね」

「ああ」

「羨《うらやま》しいわ、あんな生き方が」

えり子は寄りそって来た。歩き出して間もなく、大きな紙屋の店先に出た。上新町の輪踊りはそこまでひろがっていた。踊りの輪をすりぬけるようにしてえり子は紙屋に入って行った。

しばらく店先に立っていたが、えり子がなかなか出て来ない。都築が入って行って見ると、えり子は和装の手帳や便箋《びんせん》やらを熱心に選んでいた。

「どうするんだい、そんなに沢山」

都築が聞くと困ったような顔をした。

「知らないわ。手紙なんか書く宛先《あてさき》もないのに、こういうお店を見ると、なにもかもがほしくなるの。せいぜい下手な和歌でも書くことにするわ」

その紙包みを抱いて、上新町の輪踊りを見ながら、ゆっくりと町をのぼって行った。踊りの輪がひろがりきって、道を横切っているあたりで、二人は立ちどまり振り返って見た。長く長くのびた楕円形《だえんけい》がくだっている坂をゆるやかに動いていた。三つか四つぐらいの女の子が結構達者に踊って眼の前を通りすぎて行った。

「あんな頃《ころ》から踊っているんだから、うまくなるわけよねえ」

えり子は感心したように首を振った。

「奥さん」

声をかけられた。子供に眼が行っていたために気がつかなかったが、『華』の三枝子が二人が立っているすぐ手前まで近づいて来ていた。

「踊りませんか、一緒に」

「え？」

えり子はひどく意外そうな声を上げた。都築は当然えり子が断わると思った。だが、えり子の返事は違っていた。

「踊れるかしら、私にも」

「踊れますよ。よそ者の私にも出来たんですから」

「教えて下さる？」

声が弾んでいた。

「いいわよ。私の内側に並んで下さい。声をかけて上げますから」

「私、踊るけど、いいわね」

有無をいわせないようないい方でいうと、えり子は紙屋でした買物の包みを都築に押しつけた。そして、身をひるがえすと、あっと思うような素早さで輪の内側に入った。

踊りは行きつ戻りつする。もともとさして早い踊りではないので、輪の動きもゆったりと廻って行く。えり子は三枝子の動きを見ながら、手も足もごく小さな動きで真《ま》似《ね》ていた。

「いいわよ、奥さん。それでいいのよ」

えり子はうなずき、幾分、手足の動きを大きくした。

「そう、そう、そうよ」

そう三枝子にいわれながら、じっと見る眼には真剣なものが溢《あふ》れていた。

「それでいいの、それでいいの。じゃ、行くわよ。はい、顔の前から、両手を三回、はい、ひいーと、ふーと、みい。ソレ、ひいふーでみいー」

三枝子の声に、えり子は間違えながらもついて行った。都築はえり子を追わずに、そこに立って待つことにした。都築の知っているえり子は尻込《しりご》みする女であっても〝私踊るわよ、いいわね〟という女ではない。八尾に来て風の盆の空気がえり子のなにかを変えたのかも知れない。あるいは自分で自分を弾ませているのだろうか。どちらにしても、えり子を好きなようにさせて置いた方がいいと都築は考えた。

「陽気な方ですね」

声に振り向くと、いつ来たのか、清原が並んで立っていた。

「それに、あの方なら上手《うま》くなる。三、四年八尾に続けておいでになれば、結構、達者に踊られるようになりますよ」

「そうでしょうか」

答えながら、清原のいう三、四年という数が聞きのがせなかった。今年があっても来年が本当にあるのだろうかと都築は思った。仮に、来年があったにしても、再来年はあるのかどうか。

そう思いながら、一度は輪のはるか向うに消えてしまったえり子の姿を探した。眼でいくら探し求めても、えり子は見つからなかった。見つからないわけだった。いつそれほどの時間がすぎたのか、えり子はこっちに向って踊って来ていた。

助けられるものなら、側に寄って、助けてやりたくなるような危っかしい踊りだった。都築はたった今自分の頭にあったことを思い返した。来年や再来年が危っかしいように、えり子の踊りもひどく頼りなげなものに見えるからだった。

「もう少し待ってらしてね。もう一度だけ踊って来るわ」

都築が思いをこめて見ていることなど、全く自分には関係がないといわんばかりの顔で、えり子はそういってよこした。そして、踊りながらゆるゆると都築の前を動いて行った。

可成りな時間が過ぎたはずなのだが、時の流れの外側にでもいるように、都築はその場所に立っていた。待つ幸せに心がみたされている思いだった。

「楽しかったわ。でも、あなたには踊れないわね。そうでしょう」

踊りの輪から抜けて来て、都築から紙包みを受けとると、えり子はそういった。

「君こそ、踊るといい出すなんて、考えてもみなかったよ」

都築は上新町の輪踊りを背にして坂をのぼり出した。えり子が肩を並べてついて来る。一番高いところにある西新町にかけて、幾分坂がきつくなる。上新町がスピーカーで流しているおわらの音が遠ざかり、西新町のものが近づいて来た。

その丁度中間の辺で、都築は左に曲った。

「ね、どこへ行くの」

聞いて来たえり子の声には、まだ踊っていた時の弾みが残っていた。

「帰るんだよ、家へ」

「もう帰るの」

「ああ、まだ、明日がある」

「……帰る、……家、……明日、帰る、家、明日」

「なんだい」

「どれもこれも、なんて素敵な言葉なんだろうと思って。……有難う、あなた」

えり子はおどけた動作で、二、三歩都築の前に出ると、くるっと振り向いて、頭を下げた。そして、苦笑している都築に肩をぶつけるように寄って来ると、都築の右腕に手を廻した。

諏訪町《すわまち》は上新町の賑《にぎ》わいにくらべれば嘘《うそ》のような静けさだった。灯《ひ》の入ったぼんぼりの列がくだっている。その光の列がかえって諏訪町の暗さを際立《きわだ》たせていた。

その暗い町筋の向うから、夜流しの歌が流れ、六、七人の固まりが、動いていると も見えないほどの速度で坂をのぼって来ていた。女の声かと聞き間違うほどの声の高さだった。その静けさを切り裂くような声と、ゆるやかな動きとが、妙に食い違っていて、夢でも見ているような印象を与える。二人は下りて行く。声が近づいて来る。家の中で聞こうか、それとも、家の外で立ったまま夜流しが近づいて去って行くのを見ようか、都築の決心がつかぬ中に、二人は家の前についていた。

「あ、散ってしまったわ」

えり子の声で、夜流しの方を見ていた眼が家の前の庭に引き戻《もど》された。酔芙蓉《すいふよう》の花が、一輪しぼんで木の根もとに散っていた。

えり子はすっとしゃがんだ。着物での立姿の、線の冴《さ》えたものを見ていては感じられない量感が、腰のあたりに漂った。金石近くの軽便鉄道の駅で、倒れかかるのを抱きとめた時の、いかにも儚《はかな》げなえり子とは別な人間を見せられた思いで、都築はまじまじと見た。

えり子は散った芙蓉を左手で包むと、その握った手を自分の頬《ほお》に寄せた。昔から左手のつかい方が上手い。この人は元来左ききなのかなと都築が疑って見たことがあるほど、細かな様々な動作にえり子は左手を使った。それがごく自然に男の眼にはいとおしげにうつる。

えり子はつぶやいた。真実感が溢れていた。その様が却《かえ》って都築を意識した媚態《びたい》めいたものにとれた。つい、きつい言葉が出た。

「散ることを承知で植えた花じゃないか」

「そうよ」

えり子は振り仰ぐように、幾分、体ごと廻して都築を見た。

「でも、知った上のことでも、亡《ほろ》びは哀れだわ。違う？」

流し目に近い恰好《かっこう》になった眼が、つきつめたものを底に秘めて都築に向けられていた。

「可哀相に」

添うたからには　死ぬときも二人
そんなことさえ　オワラ　ままならぬ

歌いながら流して来たのは、おわらには珍しいことに、はっとするほど若い女の歌い手だった。藍《あい》一色の縦縞《たてじま》が大胆に五、六本体の前面を走る浴衣をきりっと着て、臙《えん》脂色《じいろ》の帯に若草色の帯締めをしめていた。夜流しの歌い手にはないことだが、深すぎるほどの笠《かさ》のかぶり方で、完全に顔をかくしてしまっている。ここ数年、清原とのつき合いで、優れた歌い手や踊り手を都築は大抵知っているつもりだった。

だが、目の前に歌いながら近づいて来るのが誰《だれ》なのか、都築には全く見当がつかなかった。節廻《ふしまわ》しも声ののびも、滅多に聞けないような歌なのである。おわらの歌い手に中年を越した人間が多いのは、いわゆるくぐって来たお飾りの数が味に出るからだと都築は考えている。天性の美しい声や歌う才能だけでは、この歌の醍醐味《だいごみ》は出せない。まして、恋の機微をもりこんだ歌詞の歌などなおのことなのだ。若い人間の歌はめりはりがきいて美しいものになることがあっても、矢張り、薄くて浅い。

ところが、そんな不満を全く感じさせない歌だった。うらみ、つらみ、重い諦《あきら》め、聞く側の聞き方によっては、それらをもう一段こえた達観などが歌から掬《すく》いとれる。都築は驚きをこえた感動に近いものを覚えた。

前をすぎて行く時に、笠の内側が見えるかと都築は思っていたのだが、相手はそれを予期したように、顔を反対側の家並の方に向けて歌い切った。

囃子《はやし》にうつるまでの間を、胡弓《こきゅう》が溢れるほどの情感をのせ、訴えかけるように奏《かな》でられた。年はまだ若いが、鏡町を代表する胡弓の弾き手だった。

〝鏡町……〟

都築はもう一度胸の中を探って見た。鏡町は上新町からやや下《しも》で、井田川の方に向けて坂を下って行く。昔は免許地と呼ばれて、八尾の養蚕が全盛だった頃の芸者町だった聞かされている。今でも小粋《こいき》な料亭が一、二軒残ってはいるが、町は住宅地に変った。しかし、やはり伝統に似たものが受け継がれているのだろう、鏡町には芸達者が多く、若者たちが殊更《ことさら》におわらに熱心だった。その鏡町から手だれの胡弓弾きと夜流しに出て来たのだから、なまなかな歌い手ではないはずだった。都築はますますわからなくなった。

胡弓に〝スイッと〟と声をかけていた中年の男が囃子を歌い出した。

恋だけは別だよ　思案の他《ほか》だよ
嵐《あらし》の行く先きァ　誰だって知るまい

粋に歌い終って、本歌を笠の若い女がもう一度歌い出した。

燃えた昨夜《ゆうべ》に　顔あからめて
忍び出る身に　オワラ　夜が白む

投げるように歌い終るところに、チラと含羞《がんしゅう》という言葉を思わせるようなものがこめられていた。

男と女だよ　やることは知れてる
惚《ほ》れりゃそいつが　ただごとじゃなくなる

歌って来た夜流しのひと群れは、聞き惚れている中に、もう後ろ姿になって坂をのぼって行っていた。都築には一体誰だったのだろうと、まだ、そのことが気がかりでならなかった。

それは、本歌と囃子が、両方の意味を汲《く》みとりあったかけ合いになっていたせいでもある。おわらには昔から歌いつがれて来た歌詞が沢山あって、歌い手たちは自分の好みのものや得意なものを歌う。だから、恋の歌、四季の歌、労働の歌などが入りまじって歌われることになる。

たった今都築が聞いたような歌い方がされることはほとんどないのだ。その上、都築はどの歌詞も聞いたことがない。恐らく即興だったのだろう。そうだとすれば、いまのひと群れは都築とえり子のために歌いに来てくれたのだろうか。

考えられないことではなかった。演舞場に出かけた時から家に帰りつくまでに、都築は多くの人々の視線を浴びた。諏訪町の家を買って、毎年おわらを楽しみに来るというだけで、小さな町では大きな話題になる。しかも、都築の目的がおわら以外にないと聞けば、町の人々の目には、先《ま》ず好意がこもる。その都築が今年はえり子を連れていた。良かった、今年の都築さんの風の盆は淋しくはなさそうだ。そんな思いのこもった眼差しが方々から二人に注がれていた。

控え目な山あいの町に生きる人たちは、そんな気持を生の言葉にして都築に話さないだけで、明日になれば、二人のことが方々で話題にされることは目に見えていた。

だが、そんなことで歌いに来てくれたにしては、笠をかぶった歌い手は、余りにも若すぎた。

しゃがみこんだままで聞いていたえり子が、すっと立った。そして、都築の耳もとで囁《ささや》いた。

「ね、中に入りましょう。……時間が、……焼けて行くようだわ」

その立姿の横顔がほんのりと明るく見えた。

骨董《こっとう》　御道具　古径
と書かれたぼんぼりの文字が、えり子の頬の脇《わき》にうき上って見え、照返しがえり子の瞳《ひとみ》にうつっていた。

「お帰りなさいまし。楽しんでおいでたけ」

玄関脇の六畳で夜流しを聞いていたらしく、とめはすぐに出て来た。

「お風呂《ふろ》もお二階も、お仕度をしときましたさかい。ほんで、私はおわらの夜流しを聞きながらこっちの部屋に……」

身のこなしで六畳を示した。都築にいったのではない。えり子の顔をみながら、とめは二人の寝室から一番遠いところに自分は寝ているとしらせたのだ。都築が一人の時は、いくらおわらが聞えるからといって、とめは通りに一番近い部屋に寝たりはしなかった。

「そう、じゃ、お世話をかけました。ゆっくりお休みになってね」

とめが遠廻しにいった意味が通じたのか通じなかったのか、えり子はさっと受け流した。長年妻の座にあって、ゆらがない自信に裏打ちされたような応対だった。

都築について階段を上って来たえり子は、部屋の中を見て、一瞬、足をとめた。天井の蛍光灯《けいこうとう》の豆球の光でも、並んで敷かれた色違いの桔梗《ききょう》の薄い掛蒲団《かけぶとん》は、持て余すほどのことを語りかけて来ていた。だが、気づきもしなかったような顔を取り戻すと、夜具を遠廻りして鏡台の前に座った。

「先に風呂に入って来るが」

都築は灯《あか》りをつけると、えり子の後ろ姿に声をかけた。

「はい」

断ちきったような語尾が気になったのだろう。鏡にうつった都築の顔を見たえり子が振り向いた。

「して置いてほしいことがある」

「いいわよ」

「これを吊《つ》って置いてくれないか」

都築は押入れの襖《ふすま》をあけた。

「……」

振り返ったままで見たえり子は、押入れの上段に置かれているものがなんであるのかわからなかったらしい。立って来た。

「ま、……蚊帳《かや》」

その声を背中に聞きながら、都築は階段を下りた。

存分に風呂の中で手足をのばし、谷川の水の音を聞いた。水音に、遠い胡弓の音がまじっている。それがさきほどの囃子の文句を思い出させた。

……男と女だよ　やることは知れてる……

たしかにそうなのだが、知れてるといいきってしまうためには、えり子との間にいろいろなことがありすぎた。そのひとつひとつが、知れてることへたどりつく道に、次々と立ちはだかっている。どのひとつをとっても、滅入《めい》って、勇気のくじけて来るようなことばかりなのだ。

志津江、中出、えり子の娘……。今夜の照れくささはねじ伏せることが出来ても、明日の朝味わうにきまっているばつの悪さをどう乗りこえたものなのか。

成算めいたものなど、なにひとつなかった。だが、五十年も生きて来ると、二十代や三十代の若さでは、考え及ぶことも出来なかったすりぬけ方が身に備わって来る。えり子がいったのは、八尾に連れて行ってくれというだけのことで、その先の具体性を持つことはなにひとつ口にしてはいない。たしかに不倫という言葉はあったが、それぞれに家庭を持つ男と女が、こうして一軒の家で落ち合い、枕《まくら》を並べれば、十分すぎるほど、不倫の中に入るのだろう。えり子がいう不倫がそこまでのものなら、それはそれでいいではないか。

そう考えて、都築はざぶっと音を立てて風呂桶《おけ》から立ち上った。

階段を上って行くと、足音を待っていたように、えり子が上から下りて来た。

「先に、やすんでらしてね」

そういうと、身を壁に片寄せて、都築の脇を下へおりて行った。

部屋には白麻の蚊帳が吊られ、電灯が消してあった。暗い。蚊帳の白さがなければ、夜具のあり場所を探すのに手探りになりかねない。

だが、蚊帳の裾《すそ》をくぐって、中に身を横たえると、暗さになれたのか、蚊帳の白さが窓の外の光を受け返すのか、意外なほどの明るさだった。

二本の煙草《たばこ》を喫《す》い終えた時に、えり子が階段を上って来る足音がした。廊下に続く襖をしめ、二、三歩進んだところでえり子は立ちどまった。

立ちつくしているのか。それとも座りこんで身じろぎもしないでいるのか。なんの音も聞えて来ない。息づかいなどが耳に届いて来るほどの生易しい水音ではないのだ。

「どうしたんだい」

都築は上体を起すと蚊帳の外に聞いた。

「ひとつだけ」

待っていたように返事が来た。一気にいい切ってしまう勇気を自分でかきたてるような間があって、次が続いた。

「ひとつだけ、約束して下さい」

「なにを」

「こんなことを、あなたが背負っているものにひびかせないで。……私も約束します。……取り乱したりはしません」

「わかった」

「これは、不倫……だから……。恋だけだと思うと……私たち」

「わかった」

えり子の語尾に重ねるようにいって、優しくいい足した。

「入っておいで」

蚊帳の裾がゆれた。都築は大きくそのゆれる裾を持ち上げ、えり子の体をぐらせると、引き寄せるようにえり子の体を抱いた。自分の身が都築の腕の中にあることを確かめるように、えり子が身を寄せて来た。えり子のためらいが引波にさらわれる様を思わせて消えて行った。かすれた声がえり子の唇《くちびる》を洩《も》れた。

「もっと、強く」

都築は力をこめた。

「もっと」

折れるほどに抱きしめた。酔芙蓉の根もとで、豊かさを増したと見えた体は、矢張り都築の腕の中でしなうほどに細かった。

「あの日に……蔵の中で、あなたの腕を待っていた……あの日に」

いいきらぬ中に、えり子の唇が都築を求めて来た。唇を重ねている中に、えり子の体が都築の腕の中で重さを増した。身をあずけた安心感がえり子の胸の中でひろがって行くように思えた。喘《あえ》ぎが静まって行った。

自分から都築の首に廻した両腕に、ある限りの力をこめると、えり子はまたその力をぬいた。唇が離れた。

「……三十年近くも待ったのよ。……こんな日が来るなんて……。まさか、こんなとしになるまで待たされて……あなたは、待ったの」

「待った」

「本当に」

「本当だ」

「……嬉《うれ》しいわ」

都築の胸に顔を埋めて来た。一度は抱きしめて置いて、その左肩をやや押しやると、唇を重ねた。右手がえり子の胸にふれた。胸にもさきほど目にした豊かさがあった。都築は浴衣《ゆかた》の襟《えり》から手をくぐらせた。

えり子は軽くのけぞると、唇を離した。声が洩れている。都築は唇を求めた。だが、えり子はその唇を逃れるように、顔を左右に振った。声が途切れるうわ言に変った。

「……こんなこと……自分で……おかしいけど……綺麗《きれい》な体を……してたのよ。……それをこんなに……惨《みじ》めに……待たせて」

「いわなくていいんだ、そんなことは。……綺麗だよ、君は」

「嘘よ。……待たせた上に……こんな……ああ、こんなにして」

えり子は自分から自分の体をはじきとばすように都築から離れると、身を伏せた。荒い息で背が烈《はげ》しく上下している。都築はその脇に身を横たえた。静かに右肩に手をそえて、僅《わず》かに押した。その手のままに、体を横にしたえり子が、また、胸に体を埋めて来た。

都築はいとおしむように手をのばした。膝《ひざ》に、そして、なめらかな肌《はだ》に。……都築は伸ばして行った手を思わずとめた。

その指の動きが止ったと同時だった。えり子は烈しく都築の胸に埋めた首をふった。

「恥しい、私、こんな……」

とかれる帯の動きを待ち切れないように身を揉《も》んで両肩を浴衣から抜いた。下から都築の腋の下に両腕を廻した。都築の知らないえり子が、そこに、自分の腕の中に生きていた。したたかに生きていた。都築は驚きを優しさの下に秘め、えり子を抱く腕に力をこめた。都築自身も知らなかった烈しい炎が訪れ、それが、呼び交わし、相寄る確かなものの中にとけこんで行った。そして、突然だった。

「……私、……腰が」

そう叫んだ途端、えり子の喘ぐ呼吸が、一転して寝息のような静かなものに変った。首がゆっくりと右に傾き、都築の腋から右手が、そして左手が滑って落ちた。

都築は体を動かさずに待った。

静かに続いていた呼吸が、深く息を吸いこむものに変り、えり子は眼をひらいた。自分がどこにいるのか、それさえわからないようで、二、三度瞳が烈しく動いた。都築の顔を見出すと同時に唇から言葉にならぬ叫びが迸《ほとばし》った。

体ごともたげるように両腕をのばして来た。都築は肩ごしにまわした二本の手で、えり子を支えた。もう止めようがないという烈しさでえり子の体が動いた。

「……ね……どうしてなの……」

いいきれぬ中に上体が都築の両腕の中で力を失った。

呼吸はまた寝息のようなものに変っている。都築はいとおしみながら、その体を横たえた。

「……鮎《あゆ》よ」

「え」

と聞き返す言葉を辛《から》くも押えた。

「……鮎……細い、糸のような……藻《も》よ。……岩についてるの。……若草色の藻よ。……あ、揺れてる。……石だわ。……小さな、可愛い石がいっぱい。……陽《ひ》ざしが……石の上で、チラチラして、……ああ、私の体にも……さしてる……」

はっと眼を見開いた。信じられないという表情が走った。

「私、なにか、いった？」

「鮎になったのか」

都築は微笑《ほほえ》みかけた。

「ああ、どうしよう」

自分の身にとりついているものを振り払うかのように首を振ると、全身の力で都築を自分の脇に引き寄せた。

「……こんなこと……って」

まじまじと都築を見た。都築はその左の頰《ほお》を、刷《は》くほどの優しさで撫《な》でた。

「可愛いよ」

えり子はまだ信じ難《がた》い表情で、体をかすかに慄《ふる》わせていた。ゆっくりと呼吸が静まった。そして、吐息をついた。

「……悪い人なのね、あなたは」

「どうして」

「自分でいい出したのに、迷ったわ。……随分。気に入らない家だったらどうしよう。そこまでは我慢出来ても、二人きりで夜が来たらどうしよう。……あなたが優しい言葉をかけてくれなかったら……それから、このとしになって、なにを着るの。どう着るの。……そんなこと考えるだけで、気力がなえたわ。……五十になる前にということだけが頼りで出て来たの。……いいわ、八尾と踊りを見るだけでもいい。……それで、やっと気持が軽くなって……。でも、こんなに悪い人で、こんなに思いやりがあるなんて考えられもしなかったわ」

「そんなに悪いかな」

「悪いわよ。この水音……この蚊帳」

「ああ、蚊帳だけはね、頭をしぼった」

「これが、もし、なかったら……。ああ、いやだわ。考えるだけでもいやだわ。近づけっこないもの、あなたの側《そば》に」

自分から唇を求めて来た。そして、また、胸に顔を埋めた。

「有難う、あなた」

呟《つぶや》きのような言葉が洩れた。

「なあ」

ややしばらく背中をさすってやり、えり子の体に寛《くつ》ろぎのやすらかさが満ちて来るのを感じて、都築は呼んだ。

「はい」

都築は黙ったままだった。

「なに」

えり子が聞いた。

「正直に答えてほしいんだが」

「ええ」

都築はまた迷った。

「いって下さい。……なんでも答えますから」

胸の中から見上げるように都築の顔に眼を注いだ。

「……あのな、……死ねるか、俺《おれ》と」

えり子は息をのんだ。かすかに〝え〟と聞える言葉が洩れた。静かに閉じられた眼が、唇と共に、心なしか笑いを含む形に見えた。うなずきと一緒に、落ちつききった声が答えた。

「いつでも。こんな命でよろしかったら、今すぐにでも」

「そうかい。でも、なぜ笑ったんだい」

「あなたらしくないことをおっしゃると思ったのよ」

「そうかな」

「そうよ。死ねますかと聞きたかったのは、私の方」

「なぜ」

「今はね、もうなんにも思い残すことがなくなったから」

「……では、今日まで、君は不幸だったのか」

「いいえ。ノルマンディーでいったでしょう。……幸せだったって。そのことと思い残したことがあるのとは別よ。でも、今、頭の中がこんがらがってるわ」

「どんなふうに」

「あのね……幸せって、いいことなの？　人間にとって、生きたって実感と、どっちが大事なの？」

見上げる瞳が燃えていた。

「教えて、どっちが大事なの？」

身を寄せて来た。やっとつかんだものをなくすまいとするように都築を抱きしめた。

水音が部屋に戻《もど》って来た時、えり子は都築にせがんだ。

「知らないですごした二十なん年を、全部埋めたいの。ね、話して。どんなお家に住んでいるの？　着物って、なにとなにを持っているの？　しいちゃんは朝起きたら、あなたにどんな朝御飯を用意するの？」

　そんなことをわかるように話せる道理がないと都築は答えた。だが、えり子は承知しなかった。仕方なく、都築は自宅の間どりから話し始めた。

　しかし、二階建の家の、下の間どりも説明しきれない中に、えり子は寝息を洩らしていた。


　翌朝、都築が眼をさますと、えり子はもう寝床を出てしまっていた。

　都築は寝ざめが悪い。転がったままで、二本の煙草を喫った。えり子はとめと階下の台所でなにかをしているらしく、時々上げる笑い声が水音にまじって聞えて来た。

　とに角、蚊帳だけを畳んだ。子供の頃《ころ》に覚えたことは、体が忘れないでいる。自信はなかったが、畳み始めると、昨日までやり続けて来たことと変らぬほど自然に手が動いた。寝起きの悪さが、幾分かは消えた。

　蒲団を畳もうかどうしようかと考えた時、都築が本を読む時に使う机の上に、昨日紙屋で買った和綴《わとじ》のノートが開いてあるのが眼に入った。寄って見ると、和歌が書きこんであった。

夕されば　酔ひて散り行く　芙蓉花《ふよう》に
　わが行末を　重ねてぞ見る

　うつし身の　うつし身ゆゑの　けだるさを
　　胸内に秘めて　今朝の眉《まゆ》ひく

　階段を上って来る足音がした。開いてあるものを見るのは構わないだろうと思い、机の前に座り直した。

「駄目《だめ》よ、人の都々逸《どどいつ》なんか読んじゃ」

　襖《ふすま》をあけてえり子はそういった。眼は優しく睨《にら》んで見せている。

「じゃ、都々逸って来るのも止めるかい」

「それもそうね。ま、いいや。もう、なんにもかくしてることはなくなっちゃったんだから」

　わざと蓮っ葉《はすっぱ》ないい方をすると、側に寄って来た。

「お早うございます。昨夜は醜態をお眼にかけました」

　それだけはきちっといったが、一転しておどけて見せた。

「ああ、恥しい。眼をさましたら、もうとっても側になんかいられなかったの」

都築はその手をとると引き寄せた。呆気《あっけ》ないほどの柔順さで、えり子は都築の膝に体を横たえた。

「……蚊帳がないわ」

「いいさ」

唇を重ねた。大胆にえり子の舌が都築の中に滑りこんで来たが、首を振って、唇を離した。

「駄目、昨夜につながっちゃうじゃないの」

「構わないだろう」

「いいえ、求める烈しさが深いだけ早くさめるっていうわ。それに、男の人は、翌朝がなんともやり切れないっていうでしょう」

「相手によるんだ、それは」

「そんなに、沢山?」

驚きの表情を見せた。

「人並だよ」

「なら、許して上げます。でも、かなわないと思ったら、正直にそういってね。気がつかない中に嫌《きら》われているのはいやよ」

真顔だった。

「ああ」

「約束してね」

「うん。しかし、嘘《うそ》もいいとこじゃないか」

「なにが」

「眉なんか引いてやしない」

えり子は顔をしかめるように笑った。

「あれはお歌の世界。現実は眼尻《めじり》の皺《しわ》もかくしきれないところまで進んじゃってるの。だから、我慢して下さい。その代り、気心で補えるだけは補います」

「けだるさは」

「もうひどいの。やっとの思いで立ってます」

「無理をすることはないよ。この家は意地や我慢のために買ったもんじゃないんだ」

「わかっております」

「あの婆《ばあ》さんはただもんじゃない。だから、こっちが呼ばない限り、金輪際《こんりんざい》二階に上って来たりはしない。その上、恐しく口が固い」

「それもわかっております。ですから、もう手なずけました」

「手なずけた」

「はい。邪恋、姦通《かんつう》、不義密通、全部ぶちまけて裁きを仰ぎました」

都築は呆《あき》れた。えり子のどこにそれだけのたくましさが潜んでいるのか、眼を瞠《みは》る思いだった。

「で、反応は」

「ただひと言」

「うん」

「旦那《だんな》様はなにがあっても、素敵なお方や……ですって。畜生、あいつはライバルだ。いいとしてからに」

都築は思わず笑わされてしまった。えり子はするっとすりぬけて立った。エラスティックなジーンズに、ややきつ目なサマーセーターを着ている。姿に自信がなくては選べない組合わせだった。

「旦那様、誠に申し上げにくいのですが、下にお食事の用意が出来てしまっております」

弾んだいい方をすると、えり子は夜具を片づけにかかった。

階下に下りると、食卓の上に朝食の用意が出来ていた。なにがいつもと違うというほどの差はない。だが、どことなく、とめには出せないひそやかな華やぎが食卓の上に整っていた。

「驚いたわいね、奥さんの手際《てぎわ》には。あっという間に蓮根蒸《れんこんむ》しを作ってしもうがやさかい」

食卓に座ると、とめが都築にそういった。起きてから蓮根蒸しを作ったということよりも、とめがなんの抵抗もなく奥さんという言葉を口にしたことに都築は驚かされた。昨日一日、とめは一度もえり子に呼びかけなかった。話す時にも、巧みにえり子を指す言葉が抜いてあった。えり子の第一印象が悪くなかったのはたしかだが、短い時間の中に、どのようにして、えり子は自分を奥さんの位置に高めてしまったのか。

「そんなことくらい、金沢の女やもんの」

えり子はカラっと笑った。ああ、これだなと都築には納得が行った。手なずけたという言葉を使ったが、えり子は自分の立っている場所をとめと同じ高さに下げたのだ。

「奥さん、すわんまっし。お給仕は私がしますさかい」

えり子に直接語りかける方言の表現には、敬語にあたる部分がぬけている。しかも、奥さんと呼ぶとめの顔には、この家に関する限り、えり子が主婦だと認めるものが、確かに存在している。

「有難うさん」

えり子も平然としている。

とめを手の中に入れることも、偽りの主婦の座にすらっと座ることも、志津江には出来そうにない。えり子との三十年は、確かなものとして、自分に存在し得たかも知れなかったのだと都築は思った。えり子への愛着が、都築の胸の中でふくらんだ。

「御飯がすんだら、おわらが始まるまで、どうするがや、今日は」

「そうねえ、お掃除をして、それからお買物にでも出て」

「そりゃいかんわいね」

とめは真顔で遮《さえぎ》った。

「奥さんにそんなことされたら、私のすることがのうなってしもうさかい」

「あら、そう」

「遊ぶこっちゃ。旦那さんにどっかに連れて行って貰《もら》うこっちゃ」

「そうお？」

「ほうや。年に一度の風の盆やもんの」

「じゃ、そうさせて貰おうかしら」

「そうすっこっちゃ」

とめはそれで決ったという顔をして見せた。都築は唸《うな》らされるような思いで二人のやりとりを聞いていた。

三日目の昼で、さすがに町は熱気の中休みをとっているように見えた。最後の夜への盛上りを前にした静けさでもある。

都築はえり子を連れて諏訪町《すわまち》をのぼって行き、雪流し水の取入れ口を見せた。

「雪流しねえ」

薩摩《さつま》だという極薄の木綿の絣《かすり》に着がえたえり子は、素足に黒塗りの下駄《げた》をはいていた。その後ろの歯をうかすようにしてしゃがむと、えり子は雪流し水に手をひたした。

「凄《すご》いわねえ。雪が流れて行く様子が眼に見えるようだわ。一度は見てみたい光景ね」

「僕《ぼく》もそう思うことがあるよ」

「でも、駄目ね」

思い切るようないい方をして立ち上った。

「どうして、見に来ればいいじゃないか」

答えずに、えり子は東新町の通りを先に立ってのぼり始めた。

「どうしたんだい」

都築は追いついて聞いた。えり子は答えなかった。ただ、足を早めて行く。道は右に曲って、上新町の通りに合流する。そこからは三筋の道がひと筋に変って、山が迫り、人家の数が極端に減る。

点在する民家の間に、井田川の上流を見下ろす場所があった。その眼の下で、北から くだって来るもう一本の支流が合流している。流れくだる川は川底の石にぶつかり、白い飛沫《しぶき》を上げていた。その向うには小さな村落が見え、西に廻りかけた陽《ひ》を受けて、釉《うわぐすり》をかけた瓦《かわら》が輝やいていた。

「綺麗《きれい》だわ」

そこまで、都築に追いつかれまいとムキになったように歩いて来たえり子は、足をとめていった。いい方がおかしい。都築は脇《わき》に立ってえり子の顔を見ようとした。えり子は顔を背けたが、その頬が涙で光っていた。

「どうしたんだ」

都築はもう一度聞いた。

「出来っこないのに」

「なにが」

「雪流しよ」

「雪流しがどうしたんだい」

「私が見たいといえば、あなたはいいよっていうにきまってるわ」

「いけないのかい」

「いけないいわ」

「どうして」

「雪に埋ってしまったあの家にいたいっていえば、それもいいっていうでしょう。もう、どこへも行きたくないっていったら、ああ、僕も行かないっていうわ。駄目なのよ、私を叱《しか》ってくれなきゃ」

えり子は振り向いた。黒い瞳が際立つ眼から、とめどなく涙が溢《あふ》れていた。

「だから、昨夜いったでしょう。念を押したでしょう。蚊帳の外で。……昨日の今日だというのに、いい出した私がもう崩れて来てるのよ」

「それはそれでいいじゃないか」

「いいえ、いけないわ。今朝から私ははしゃぎすぎてると思わない？」

都築は胸をつかれた。そんな思いが胸をかすめなかったわけではない。

「昨夜は幸せに眠ったわ。でも、あけ方に眼をさましてからの私は夜叉《やしゃ》なのよ。それを一生懸命にかくしているの。だから、はしゃぐの。憎んではいけない人を憎んでいるわ。嫉妬《しっと》する資格もないのに嫉妬を燃やしているのよ」

「……君は……」

「ええ、そうよ。教えて。昨夜のようなことは、あなただからなの、それとも、私の中に眠っていた血なの」

「血ではないが、君と僕だからだろう。それと……罪の意識……」

「では、あの人には」

「ただの一度も。どこだって、夫婦なんて似たようなもんじゃないのか」

「悲しいわね」

「ああ」

「じゃ、万々が一、私たちが夫婦になれたとしたら、矢張りそうなってしまうの」

「……多分ね。もっと重いものを背負って行くからね。……それはわかるだろう」

「わかるわ。……悲しいのね、人間って」

えり子は先に立って来た道を戻り出した。

「帰るのかい」

「ええ。いろんな人たちの顔が見たくなったわ。私よりももっと重いものを背負っている人たちがいるかも知れないもの」

ほとんど口もきかずに、二人は上新町をおりて行った。突き当りに、都築が八尾に来る度に寄って見る骨董《こっとう》屋がある。都築はえり子に相談もせずに店のドアをあけた。

「いらっしゃいませ。まあ、今年は奥様も」

店の持主の岸田まき子が愛想よく迎えた。

「はあ」

都築は平然と答えた。

「あれを頂きましょうよ」

えり子は柱にかけられた小ぶりな筒形の備前の掛花《かけはな》をさした。唐突さにえり子の顔を思わず見直すほどの決断だった。包んで貰って店を出ると、えり子がいった。

「来年は三日の間に散らない花をいけましょうね」

帰る途中で『華』に寄った。囲炉裏《いろり》ばたに水谷をはさむようにして、四、五人の娘たちが座っていた。都築とえり子はその向いに腰を下した。眼にとびこんで来たのが、昨夜見た大胆な縦縞《たてじま》の浴衣《ゆかた》だった。その娘が会釈《えしゃく》して来た。

「昨夜はどうも」

「君だったのか」

谷口妙子というその娘なら都築はよく知っていた。諏訪町、鏡町と踊るグループが違うが、妙子は踊りでは杏里《アンリ》にも敗《ま》けないという評判がある。小学校からの同級生の二人は、お互いの町の衣裳《いしよう》を着こんでは、町流しに加わって踊った。東京や外国に頼まれて踊りに出る時、二人のデュエットはひとつの目玉商品だったせいもある。二人が揃《そろ》えば踊りが伯仲して熱気を帯びて来る。そんな妙子が歌うとは都築は考えてもみなかった。

「君ではわからないはずだよ。踊りなら知っているが、あんなにうまく歌うとは思わなかったんだ」

「お粗末なのどをお聞かせしまして」

妙子は頭を下げた。

「いや、いや、感動したよ」

「やだ。デモみたいな悪戯《いたずら》だったのに」

「デモ？」

都築が聞き返したことに、水谷が答えた。

「恋をするのがどこが悪いんだって歌を作って、清原先生に聞かせに行ったというんですよ。その話を聞いて、やるもんだなと感心したり呆れたりしてたとこなんです」

「それをね、僕たちは聞いたんだよ。素晴らしかった」

「やだ、冷やかして」

妙子は照れた。

「僕も聞きたかったと思うんです。妙子の歌は悪くないですから」

「だけどさ、失敗しちゃった」

「清原さんが家にいなかったっていうんだろう」

「そうなんですよ。さんざ歌って上新町に出て見たら、先生立って輪踊り見てるじゃない。がっかりしちゃった」

「だけど、なぜ、昨日になって、急にデモを始めたんだい」

「杏里がね、風の盆に帰って来たくって、富山まで来ているんです。それを、八尾に来たら承知しないって、清原先生が町に入れないの。だから、杏里は富山のホテルから電話かけて来て泣いてるのよ。で、可哀相になっちゃって……。踊れなくてもいい、見るだけでもいいなんてしおらしいこといってるんだもん。ねえ、都築さん、先生と仲いいんでしょう。先生にもう杏里を勘忍してやるようにいってやってくれませんか」

「遠廻しにはなん度もいったけどね、そのことになると、清原さんは返事もしないいんだ」

「頑固《がんこ》だもんね、あの先生」

妙子は溜息《ためいき》をついた。

『華』を出て、家の方に歩き出すと同時に、待ちきれなかったように、えり子が都築に聞いた。

「ね、今の杏里さんの話ってどんなことなの」

「清原さんのことは手紙に書いたね」

「ええ、保存会長で家を世話して下さった」

「杏里ちゃんは清原さんの娘なんだ」

都築は杏里がどんなに良い踊り手だったかをえり子に話した。

「自分のあとつぎのような娘に、どうしてそんなに邪慳《じゃけん》にするの」

「杏里ちゃんは心中未遂をやったんだよ。それも妻子のある男と」

「……まさか」

息をのんでえり子は足をとめた。

「杏里ちゃんだけが生き残って、男は死んだ。清原さんは杏里ちゃんを家から叩《たた》き出して、自分もそれっきりおわらを踊らなくなってしまった。その時以来、踊りの衣裳も着ない」

「世間様に顔向けがならないというのね」

「ああ」

「……ひとごとじゃないわ」

えり子は自分の胸を抱くように顎《あご》の下で両手を握り合わせた。

杏里のことがよほど強い印象を与えたらしく、えり子は遅い昼食の時にまたその話を持ち出した。

「ねえ、あなた、せめて杏里ちゃんをこの家に呼んで上げられないもんかしら」

「そりゃ無理だよ。これだけの長い町を、あんなに顔が知れた杏里ちゃんが、人に気づかれずに入って来られるわけがない」

「それもそうねえ」

えり子はそういったが、まだ諦《あきら》めきれないようなものを表情に残していた。

「杏里はどこにおるがですか」

二人の話を聞いていたとめが口をはさんだ。

「富山のホテルだそうです」

「ほんならわけのないこっちゃ。私が町はずれの西新町の方から杏里をこの家に」

とめがいい終るのを待ち切れずにえり子が聞いた。

「どうしてそんなことが出来るの、とめさん」

「昔の人間はようそんなことをしとったがや」

とめの説明では、昔の男女が人眼を忍ぶ出逢《であ》いをする時には、家と家が背中合わせになったすき間をすりぬけて走ったものだという。諏訪町と上新町の間にもそんな道ともいえぬ道が走っていて、この家の真前に出て来られる。

「私が連れて来ますさかい、心配いらんがです」

そういうと、とめは電話で『華』を呼び出し、妙子に歯切れのいい口調で指示をした。

七時に、都築が家の表で待っていると、上新町から曲って来る道の途中の、家と家の間からひょっこりとめが顔を出した。都築がうなずいて見せると、とめは振り向いて手を振った。影が走るように杏里が走り出して来て家の玄関にとび込んだ。

とめはなにごともなかったような顔で歩いて来て都築にいった。

「仲間がやっとるのを見て、どれだけ羨《うらやま》しいと思ったことやら。とうとう私は出来んやったけど、なにごとも聞いて知っとくもんやねえ」

都築が家に入ると、杏里はえり子の胸にすがって泣いていた。

なん度もその言葉を繰返していた。えり子は自分の娘を抱いているかのように、その背中を優しく叩いていた。

「有難う、嬉《うれ》しかった」

杏里をえり子にまかせて、都築が二階で本を読んでいると、次第に町の中から涌《わ》くようにおわらの歌と胡弓《こきゅう》の音が高まって来た。最後の夜はえり子に見せてやりたいものがあった。十二時をすぎなければ、それは高まりを見せない。

まだ、三時間近くもあると、時計を見た時だった。えり子が階段を上って来た。

「あの子は踊るといってますけどいいでしょう」

「なんだって」

「夜流しは歌だけかと思ってたら、鏡町だけは夜流しについて踊るんですってね」

「杏里ちゃんと妙子ちゃんが二人で始めたことなんだ。最初の年は二人きりだったんだが、ここ二年ほどはよりすぐりの腕っこきが、白々あけまで町から町へ踊って行く」

「そうなんですって。見たことがおありなの」

「それが一番の楽しみだよ。八尾の町の人以外はまだほとんど誰《だれ》も知らない」

「二時すぎに、その鏡町が上からくだって来て、この家の前を通ります。その時に、誰にも顔が見えないように深く笠《かさ》をかぶって、杏里ちゃんがぱっととびこむの」

「とびこむのって、もし、そんなことが清原さんに知れたら」

「いいでしょう、あの方が怒ったって。この家はあなたと私の家ですもの」

「まあ、それはそうだが」

「もう妙子ちゃんが鏡町の衣裳一式運びこんで来ました。あの子はその着物と帯をなでながら、なんにもいわずにただ涙を流しているんです。私にはそんなこと止めろなんていえないわ。ここなんて年か、あの子は踊りたくって、風の盆が来ると、井田川の向うの岡に来て、遠くから聞えて来る歌に合わせて一人で踊ってたんですって」

「わかったよ。よく杏里ちゃんを呼んでやってくれた」

都築はえり子の肩に手を置いた。


二時、東新町の方からかすかに胡弓の音が聞えて来た。もう鏡町の衣裳に着がえていた杏里が、その音に誘われるようにすっと立った。

白に近いほどの淡い紫の地の、胸から袖《そで》へ、袖から背へ、そして裾《すそ》から帯の下あたりまで、しぼり模様で埋めた紫の雲取りの紋様が入っている。雲取りは下に行くほど濃く、裾は前から後ろへつづいて濃紫《こむらさき》になる。帯は黒一色、帯締めが真紅で、ピンクの帯揚げをわずかにのぞかせる。

胡弓が幾分高さを増して聞えて来た。

「あなた」

えり子が都築にいった。もし、清原が家の前に立っていた時は、都築が近寄って話しかけ注意をそらせることになっている。

うなずいて、都築が出ようとした時、とめが歌い出した。

姿を見られにゃ　声でも聞きたい
その声聞ことて　毎晩かよいます
とめは歌いながら杏里の側に寄ると、肩を抱いてやった。二回、三回とうなずいてやっている。

都築は玄関を出た。男女四列が坂をくだって来ている。清原の姿はなかった。玄関の前に立つ都築の前に、踊り手がさしかかった。都築はあけたままの玄関の戸の内側に振り向いた。同時に風のようなものが都築の脇を通りすぎ、隊列の中に入った。入った瞬間、杏里の手が稲穂がゆらぐようにさしのべられて揺れた。

えり子が出て来て都築に並んだ。えり子の左手がしっかりと都築の右腕をつかんでいる。

外側二列の法被《はっぴ》姿の男たちが、両手の拳《こぶし》を握り、すっとしゃがんだ。同時に、杏里は妙子の隣で、袂《たもと》をつかんだ左手を返しながら上にあげ、矢張り袂を持つ右手をすっと横にのばし、後ろに引いた右足を折りながら上体を反《そ》らせた。妙子の動きと一分の狂いもないほどに合っている。

足音のない踊りは、灯《ひ》の数が少くなった町筋を影絵の動きを思わせながら進んで行く。めっきり数が減った見物の人たちは、踊りの動きに魂をぬきとられたように囁《ささや》きひとつ交わさずに見とれていた。

都築はえり子の手をとると、踊りの列の横をすぎて前に出た。

〝なぜ〟

という顔で、えり子が都築を振り仰いだ。

〝黙ってついて来い〟

と眼で語りかけながら、都築は歩き続けた。胡弓の音が遠くなり、やがて消えた。そこでとまると、都築はえり子の肩を抱いてやりながら振り向いた。

「……ああ」

えり子が声を引き加減にしてのんだ。その位置からは、胡弓の音も歌の声もなく、二列に坂をのぼるぼんぼりの灯の間を、踊りだけが宙に漂いながら揺れて近づいて来る。どこかに操る糸があって、人形の列を思いのままに動かしているように見えた。

「あなた、これは、……ねえ、この世のものなの」

えり子は身じろぎもせず踊りを見つめたままで聞いた。

「これを、見せたかった。だから、あの家を買ったんだよ」

えり子は体の慄《ふる》えをとめかねるように、都築にひしと身を寄せた。

踊りが近づいて来る。胡弓の音が耳に入り、歌が聞え始めた。踊り手たちは目深にかぶった笠の下で、ひたとやや斜め下を見つめながら、漂いつつ二人の前をすぎて行った。二人にだけは、杏里が必死に唇《くちびる》をかみしめて泣くのをこらえながら踊っているのが見てとれた。

その夜、白みかけた光が、窓から僅《わず》かに白麻の蚊帳《かや》の白さをうかび上らせて来る中で、えり子は都築の胸に顔を埋めたまま眠った。

歌の章

都築克亮《つづきかつすけ》様

お手紙を待って、ひと月がたちました。

あなたは私が手紙を書くのを待っておられたのですか。それとも、八尾《やつお》のことは八尾だけのことにして、東京に生きているあなたは別な人間でいたいと考えていらっしゃるのですか。

それはわからないことではないのですが、毎日、郵便箱をあける度に、あなたが段々遠くへ去って行くように思えるのです。

あけそめぬ　秋のひと夜に　乱れたる
己が姿を　夢に追ふ間に

お願いです、いま、私を一人きりにしないで下さい。

かしこ
えり子

十月五日

拝復
二週間のヨーロッパ出張から戻《もど》ったら、社のデスクの上に、山と積まれた仕事の手紙があって、その中に、あなたの一通がまじっていました。

あなたから書いてくれるのを待っていたわけではありません。

八尾は八尾だけのことにしてなどと考えていたのでもないのです。

手紙を書くことがためらわれたというのが、一番正直なところでしょう。あなたから見てこちらに見えない部分があるように、私の方からも見えないことが沢山あります。

それを、いま、見ようとしない方がいいように思えただけです。

で、ためらっていたにすぎません。

別に、今の自分をとりまいているものを守ろうとしているわけではないのです。そして、これを見てくれとあなたがいうものから、眼をそむけようというのでもないのです。
どんなことからも、逃げたりはしません。ですから、一人だとは思わないで下さい。

ゆくりなく　秋のひと夜に　乱れにし
己が思ひを　悔いつつも愛《め》づ

敬具
十月十日　克亮
えり子様

追伸　パリの支局に廻った時、プラス・ド・アルマのカフェ・フランシスに行って見ました。一時間ほど一人で座って、アルマの橋を眺《なが》めていたのですが、橋を渡って私に会いに来る人はいませんでした。

克亮様
お手紙拝見しました。

ほっと安心したような、それでいて、無理にお返事をせがんだような後ろめたいものを感じています。

ヨーロッパとは存じませんでした。あなたのお仕事で、そんなことをいってもどうしようもないのに、乗らないでほしいなと思います。

飛行機は嫌《きら》いです。

外報部長というお仕事は旅先での記事は書かないのですね。それがせめてもの救いに思えます。紙面で毎日あなたの書く記事を読まされたとしたら、たまったものではないと、胸を撫《な》で下ろしています。

昨日、錦《にしき》の市場で松茸《まつたけ》を買って来ました。

土びんむしと松茸御飯を作ったのですが、料理する手を動かしながら、私はひとつのことばかり考えていました。

それは、どうしても、私にはあなたにして上げたいことが沢山あるのに、それが出来ないという……。当り前なのですが、松茸も、筍《たけのこ》も、琵琶湖《びわこ》から売りに来るモロコの甘露煮も、私の手であなたに作ってさし上げるわけにはまいりません。

そんなことを考えると、八尾の二日間があったことが、却《かえ》って、呪《のろ》わしく思えて来たりいたします。

錦に行った帰りに、四条河原町の洋品屋さんで、素敵な縞《しま》のシャツを見つけました。一度は通りすぎたのですが、戻らずにはいられませんでした。家についたら、珍しく中出が早く家に帰っていて、買って帰ったシャツのかくしようがなかったのです。中出は自分のために買ったものだと思いこんでしまって、どうしたんだい、サイズが合わないじゃないか……と。

でも、こんな縞のシャツがほしかったといって、袖をまくって着て見るのです。似合いません。ですけど、私は袖をつめにもう一度四条河原町まで出かけなければならないことになりました。

で、あなたのシャツは送りません。

また近い内に

えり子

十月十四日

克亮様

御免なさい、前便のことは全部忘れて下さい。私はどうかしていました。もし、この手紙が間に合うものならと速達で出します。速達でない方は破り捨てて下さい。

取急ぎ

十月十五日

えり子

謹啓

速達頂きました。

今日出社したら、二通デスクの上にありましたので、速達の方から読みました。で、なにが書かれていたのかは知りませんが、もう一通の方は開封せずにそのまま捨てました。

敬具

十月十六日

克亮

えり子様

あなたは嘘《うそ》つきなのね。それも、見事な嘘つき。ですから、私は長い手紙を書きます。

十月十八日　　　　　　えり子

都築克亮様

風の盆から二ケ月が過ぎました。

今日、一人で紅葉の高雄《たかお》を歩いて来たのですが、秋が見る間に深まって行くような中で、私は一日じゅう誰《だれ》とも口をきかず、八尾の秋だけを想《おも》いめぐらせていました。八尾は紅葉が美しい町にきまっているのに、その秋の実感が私にはちっともわいて来ません。今頃《いまごろ》はあの家の窓をあければ、見上げる木々が全部紅《くれない》に染まって、その紅が、黄から真紅まで、ありとあらゆる彩《いろど》りを見せているに違いないというのに。でも、その色合いの差が、私にははっきりとは見えないのよ。眼を閉じれば、九月の澄んだ空を背景に、山はだを埋めていた木々の一本一本が眼にうかんで来るのに、葉だけはまだ緑のままなの。

ね、あの八尾の二日間は本当にあったことなの？

あそこにいたのは、本当に私なの？……教えて。ね、この前の手紙のように嘘をつかずに。

私も今日は出来るだけ正直に書きます。

八尾から帰る列車の中であなたはほとんどなんにもいいませんでした。私の話しかけることに、短い返事をするだけで。そして、新幹線に乗換えるために席を立つ時、また、明日すぐにでも会えるように〝じゃ〟といったきりで、振り向きもせずにフォームを歩いて行ってしまいました。

私は富山からずっとあなたが来年の風の盆のことをいって下さるのを待っていたのです。人間って、少しも変らないものなのですね。私は待ち、あなたはいわない。昔のまま……。

それとも、あなたはいう必要もないと考えていたのでしょうか。来年の九月の三日間は私たちに訪れるにきまっていると……。

今は、もう、あなたがそう思っている方に賭《か》けたいし、私も賭けられるような気がしています。そうする以外にないといった方が良いのかも知れません。

一体、でも、なんということが始まってしまったのでしょう。

そんなことを考えると、私の思いはあの金石《かないわ》の蔵の中で過した日々に戻って行きます。

蝶《ちょう》の行く末の低さや今朝の秋

私が蔵の三階で見つけた句です。

あの日のことを覚えていますか？　あなたはじっとその句を見ていてこういいました。

「こんなことを、実感として持つ日が来るのかな」

それはひどく冷淡な声で、私は驚かされたのです。この人は自分の身に引き寄せて読みながら、どうしてこんなにつき放した見方が出来るのだろうかと。

でも、どう思われますか。私がその句をきちんと覚えていて……というよりも、思い出さざるを得なくなって、ひどく持重りするものに感じていることを。

それだけではありません。

「同じようなことを詠《よ》んだ句ひとつで、永遠に名を残した人がいるよ」

あなたはそういって〝枯芦《かれあし》の闌更《らんこう》〟と呼ばれる人のことを話してくれたのですが、両方ともなんと残酷な句なのでしょう。

枯芦の日に日に折れて流れけり

残り少くなってしまった芦も、低くしか飛べなくなってしまった蝶も、まるで、私自身のように思えます。

そんな、噤《の》み下しようもない固まりに似たものを抱えこんで、高雄の紅葉を見ていると、実りとは無縁な、散る前の一瞬の華やぎであることが身にしみます。

御免なさいね。私はすねて見せたり、嫌味《いやみ》なことを書こうとしているのではないのです。正直に申し上げて、ただの、一瞬も、華やぎの余韻はまだ私から消え去って行ってしまってはいません。思い返すことで、軽いめまいに近いものを覚えたりもいたします。

ですから、草の葉末をすれすれに飛ぶ蝶であっても、私は飛び続けたいと思うのです。いえ、祈るというのか。そんな思いを、出してはならないもののようにしまいこんでいるというのか。

いずれにしても、不逞《ふてい》なことだと思います。……でも、なぜ、そんなことになってしまったのか。

これは総《すべ》て、私が自分でしたことなのだというのがいまだに信じられないのです。

パリでお会いするなり不倫だといいましたね。八尾でも、これは恋ではないんだと申し上げましたね。

あれは、自分にいい聞かす言葉でもあったのです。

むしろ、絶対、恋にしてしまってはいけないと考えていたから、だからこそ、ああいったのかも知れません。その計算はものの見事に狂いました。僅か一日ももたなかったのです。ですからといって、今から振り返って見て、フェキャンの夜が、そのまま、あの嵐《あらし》の風の盆の夜につながっていたと申し上げることは出来ません。不正直な部分やら、あなたにはいうまいと思っていたことが沢山あります。

でも、そんなことはみんな消えて行ってしまうのよ。元からなかったことのように。ふと気がつくと、本当になかったことで、八尾の嵐とフェキャンの嵐とがつながっているように私は思いこんでいるの。こんなことって、あっていいことなのかしら。

あなたはどうだったのでしょうか。

恐らく、同じことだと思います。

金石での日々があって、あの頃にあなたが持っていて下さった気持が、そのまま今日まで生き続けていたなどと、仮にあなたがそういわれたとしても、私は信じません。

第一、私がそうではないのですから。

長く、大事に、私が秘めて来たものはございます。ですけど、それは伏流水のように、時には、私自身でさえ全くその存在を見失ってしまったものといってもいいでしょう。

中出の妻として、娘の小絵《さえ》の母として、私は大過なく生きて来ました。それは、矢張り、十分に愛の名に値いするものだったと思います。恐らく、大抵の人たちは、そんなものだけで人生の辻褄《つじつま》を合わすのでしょうね。疑って見ることもせずに。でも、私は垣間見《かいまみ》る誘惑を捨て切れませんでした。不純なことだと思います。

中出がパリに一緒に行けといい出した時、地の下を這《は》っていた伏流水が急激に噴き上って来たのです。中出の言葉を、私は挑戦《ちょうせん》のように受けとめたのかも知れません。中出のいい方には、さした苦労もさせずに一人の女を生きさせたことへの、自信めいたものが感じられました。それに気づいた時、私の胸に、反撥《はんぱつ》といってもいいものがきざしたのです。すっかり安心されてしまってはかなわないといった方が当るかも知れません。

こんなことは、多分、どんなに丹念に作られた建物にも、ある時間がたてば、すき間風が入って来るのに似ていると思います。

だからといって、中出を責めるのは筋違いというものでしょう。ですから、いけないのは、中出ではなく私なのです。それは最初からわかっておりました。パリでお会いした時にも、あなたの電話の声を聞くまで、自分が抱えこんでしまったものはそれとして、あなたのお顔だけでも見られればそれでいいと思っていたのです。でも、音を立てて私の中でなにかが崩れました。

「こちら、都築」

あれきりの短い言葉の裏に、私はいろいろなものを感じてしまったのです。一番強くこたえたのは、あなたの胸の中にも風が吹いているという思いでした。

パリからノルマンディーへの道の途中、ジッドの墓の前に立ちつくしたとき、そして、フェキャンのあの岡に車をとめていたあいだにも、私が感じていたものは、段々、強い確信に近いものに変って行きました。それればかりでなく、あなたの喘《あえ》ぎが聞えて来ると、私までが重い喘ぎの中に長いことといたように思えて来たのです。

でも、どちらが真実で、どちらが絵空事なのかと聞かれれば、それは選ぶ余地もないことでしょう。自分が積極的にそうしたのではないにしても、私は中出を選ぶ決心をして、その決心のままに、取り戻しようもないほどの長い時間を生きて来てしまったのですから。

それにしては、絵空事は私にとりついたまま、一向に離れて行ってくれませんでした。忘れたい、忘れられないまでもねじ伏せたい、そう願う自分の気持とは逆に、絵空事がどんどん真実の領分を食い荒し始めたのです。

でも、どこかでブレーキをかけなければいけない、そんな気持はまだ残っていました。ですから、八尾に行く決心をするまでに時間がかかりました。

そして、いざ、八尾の家についても、本当は私は雲の上を歩いているような気持だったのです。私が泣いたり、笑ったり、はしゃいだり、今思い出してもふさぎ込むほどおしゃべりだったりしたのは、それが原因です。

一所懸命で演技していたのだと思います。三十年近くもの間、あなたのことを思いつめていた女がいて、もし望みがかなったらどうなるのか……。頭のどこかに、たしかに、そんな姿を探し求めるものがありました。

あなたも多分気がついていたのでしょうね。

でもね、それだけではなくなっちゃったわ。芝居なんかでは追いつかないものが芽生えて、それがぐんぐん育って行くのよ。ですから、八尾とフェキャンがつながってしまうの。

どうするの、あなた。仕返しを受けたのよ、私は。

八尾から帰った私の身辺にはなにひとつ新しいことが起っていないの。私が元の私ではなくなってしまったのに、私を取り巻いているものは、全然、変っていないなんて。こんなことって、あっていいのかしら。

ね、私は本当にここにいなければならない人間なの？　もしそうだとしたら、私の中身なんかどうでもいいことになるじゃないの。私という恰好《かっこう》をした人間がここにいるだけでいいのなら、今日までこの家で私の上を流れて行った時間はなんだったの？

あなたは優しいわ。読んでしまった手紙を読まなかったといってくれて。

でも、あなたのあの素っ気ない文面を見れば、速達が間に合わずに、あなたが読んでしまったことはわかるのよ。あなたがどんな嫌な顔をしたのかも、私には眼に見えるようだわ。

私は浮かれていました。あんなことを書くなんて。

ですけど、そうでもしていなければ、わめき出してしまいそうな私のこともわかって下さい。自分でいい出したことを、自分で覆《くつがえ》して置いて、勝手だということはわかっています。でも、私が自分で処理がつかないほど割れてしまっていることも事実なのです。

姦通《かんつう》の姦という字は悲しいわね。女が二つに割れてしまって、もう一人のさめた女は、上から割れた様を見ているだけで、行き場所がないの。

これで、もう、かくしていることは、なにひとつなくなりました。なにひとつ。

そんな女は嫌いだといわれても、それは仕方のないことだと思っています。

病ひ鳥　抱きとり給へ　ただ犇《ひし》と
君が御胸に　帰らむ朝は

あなたの
えり子

十月三十一日

えり子様

語り言葉で書かれた部分を、とってもいとおしく読みました。現実の君が私の前にいるように感じたからです。

割れている君を、割れているままで、私は抱きしめたいと思います。

あんなに無理をして伝えようとしなくても、私には全部わかっていたのに。でも、考えて見れば、矢張り必要なことだったのかも知れません。口に出さない私よりも、いわずにはすませられなかった君の方が勇気があるということなのでしょう。私の方にもなにひとつ変ったことはありません。〝お帰りなさい、楽しかった?〟という言葉があっただけです。

蝶の句のことよく覚えています。僕《ぼく》が探した句で、よく似たものがありました。

行く秋や日なたにはまだ蟻《あり》の道

蟻は冬が来て死んでしまうのか、それとも冬眠するだけだったのか覚えてはいません。でも、いずれにしても、日々弱まって行く陽《ひ》ざしの中で、懸命に歩く蟻とは、僕たちの今の様になんと似ていることかと思います。

なんということが始まってしまったのかと書いてありましたが、慰めの言葉を書き送る気持にはなれません。二人とも揺れる吊橋《つりばし》の上を歩き続けるしかないからです。

口を拭《ぬぐ》って、なにもなかったことにする。

それは考えられないことではないのですが、そうしたいとは思いません。はしゃぎ、浮かれ、いろいろなことを話してくれた君を、うとましいとは思わなかったからです。それに、口を拭うことは出来ても、君がいう芽生えたものは死にはしない。

列車の中で、来年のことをいわなかったのは、来年必ずという言葉で君を縛りたくはなかったからです。あの家は僕が生きている限り、あのままにして置きます。来られない年があっても、それはそれでいいではないかと思うのです。

つまらないことですが、身辺のことをひとつしらせて置きます。

同期から、編集局次長になっていた男がいたのですが、十月の異動で局長に進みました。私はそんなことは考えても見なかったのですが、周囲はライバルだと見ていたようです。外国特派員生活が長かった私にくらべて、彼はほとんど外へ出ませんでした。そして、この十月、決定的な差がつくという結果になりました。

誤解しないで下さい。私は悄気《しょげ》ているわけではないのです。同期から二人の局長が出ることは先《ま》ずないという前提に立って、新聞社に働く人間の、先行きが見えたという事実を君にしらせて置きたかっただけです。

もうひとつ、是非、書いて置きたいことがあります。

色々なことを私にわからせるために、息せききってものをいうようなことは止めなさい。そうされなくても、私にはわかっていることは沢山あります。

君のいう通り、金石とフェキャン、八尾とフェキャンが直線でつながっていなかったにしても、金沢の頃の君は僕の中に生きています。それを信じていていいのです。

敬具

十一月二十三日　克亮

えり子様

克亮様

有難う。

嬉《うれ》しいだけでなく、ほっとしています。なん度も読み返しました。

おっしゃられるまでもなく、私は随分無理をしているのがわかっていたのよ。私らしくないことは止めます。重ねて、有難う。

かしこ

十一月二十八日　えり子

克亮様

御免なさい、御無沙汰《ごぶさた》をして。

実は、娘にお見合いの話があります。娘よりも私が驚いています。ひと様からそろそろといわれてはいましたが、いざ、具体的にとなると、また、思いは別です。いつの間にそんなとしになったのかと。

中出は乗り気でいます。私は娘の気持次第。

でも、本当に、送り出してやる日までは、完全な母親の役割りを演じきらなくちゃあ。

一体、一人でなん役を演ずればいいのかと思うと……。

そんなこんなで、暫《しばら》く、お便りを止めにします。私自身がどこまで耐えられるか……。でも、挑《いど》んでみなくてはいけないことですもの。

だけど、時々はあなたは書いて下さらなければ嫌よ。中出が家にいる休日には、郵便の配達がない制度にとっても感謝しています。

埋め来し　熾《おき》の火さかる　わが命

待ついくとせを　描く寒夜に

京都の夜はもう冷えるのよ。病気だけはなさらないでね。風邪《かぜ》にもかかっては駄目《だめ》よ。それだけは約束して下さいね。

お元気で

十二月二十日

えり子

克亮様

娘のことで、当り前のどこにでもいる母親のようなことを書いて、どうすることも出来ないほどの自己嫌悪《けんお》に陥ってしまいました。で、手紙を投函《とうかん》して、翌日、すっかりこらえ性をなくして、京都駅から新幹線に乗りました。あんなに近いなんて……。あなたと私とがこんなに遠いのに。

東京駅で乗換えて、あなたの新聞社がある町まで行ってみました。電話をすれば、あなたの声を聞けるのだ、受付に入って行けば、なん分もたたない中《うち》にあなたの顔が見られるんだと思いながら、でも、私は新聞社の建物を見て立っていました。

それをしなかったのは、私たちの間に言葉にはしない約束があると思ったからです。こんなことを書くと、あなたはきっと、淋《さび》しそうな私の姿を思いうかべるのでしょうね。でも、そうじゃないの。女って、ほんの小さなことで満足するものなのよ。ああ、私は東京へ行けたんだ。行っても、なにもせずに踏み止《とどま》って帰って来たんだ。そう思い、そんな自分をいとおしく抱きしめるようにして帰って来たわ。

そんなちっぽけな冒険で、また暫くは母親役がつとめられそうです。

風邪も引いてはいけないのよ。

えり子

十二月二十二日

克亮様

河原町に出た折に、古書店で有朋堂文庫の『名家俳句集』という本を買って来ました。金石の蔵で、二人で探した堀麦水《ほりばくすい》の抜粋句集も入っています。頁《ページ》を繰っていると、高井几董《きとうじ》自撰《せん》「井華集《せいか》」のところで眼が釘《くぎ》づけになりました。蕪村《ぶそん》の高弟ですってね。花鳥風月だけでなく、人の心を主題にした句が多いので、とっても気に入っています。そんな一句。

年一つ老行く宵《よひ》の化粧《けはひ》かな

年賀状は出さないわよ。お宅に書くことは出来ないし、といって、たとえ一日でも二日でも、新聞社のあなたの机の上で棚《たな》ざらしにあうのは耐えられないわ。

良いお年をね。

十二月二十九日

えり子

克亮様

あけましておめでとうございます。

昔流に数えると、いくつになったの、二人とも。

夜半にさめ　来《こ》し方思ひ　枕辺《まくらべ》を
包む静寂《しじま》に　憎しみ覚ほゆ

お話したいこと、相談したいことが沢山あるのですが、今は書きません。九月まで
九月までと自分にいい聞かせています。

かしこ

一月四日

えり子

命裂かむ　しがらみ去れと　期しつつも
陽の傾けば　汁《しる》の菜きざむ

数えています。ただ、日を数えています。

四月二十五日

えり子

梅雨《つゆ》ひと日　うつけ暮しぬ　今日もまた
心の炎　消しも敢《あ》へずに

六月二十八日

えり子

克亮様

やっと、もうひと月になりました。待つ単位が月から日に替って、それが時間の単位になるのがもうすぐなのね。

是非聞いてほしいわがままがございます。

今年は四日目を私のために作って下さい。お忙しいことがわかっておりながら、こんな勝手を申し上げるのは申し訳ないと思うのですが、是非とも。

八尾からの帰りに連れて行ってほしい場所がございます。

ようやく、八尾の日々が今年も本当にあるのだと思えるようになりました。そう考えただけで、あの水音が私の耳に聞えて来るのよ。

日暮れ待つ青き山河よ風の盆

歳時記で、大野林火という方の句を見つけました。どんな人かは存じません。でも、皮肉な句だと思います。日が暮れなくては踊りの見頃《みごろ》は来ないのだし、私たちの日の暮れも近いのね。

最初の頃はとっても辛《つら》かったのだけれど、あなたがお便りを下さらなくなったことを感謝しております。渡る橋は揺れているのですから、あなたからのお手紙の度に、私自身が揺れたら、とっても歩いては来られなかったでしょう。

では、八尾で。

八月一日

えり子

舞の章

都築《つづき》が諏訪町《すわまち》の坂をのぼって行くと、紅《くれない》に染まりかかって酔芙蓉《すいふよう》の花が見えて来た。去年は毎日一輪ずつしか花をつけなかった木が、一年の間に力を増したのだろう。二輪の花が咲いていた。

都築は足をとめた。改めて、夕刻が近いことを思い出させられるような花の色づき方だった。玄関をあけると、たたきに下りようとして、片足を下ろしたえり子と向い合う形になった。

えり子から視線をそらさず、都築は後ろ手に玄関をしめた。揃《そろ》えてあった下駄《げた》の鼻緒に足を通したえり子が都築の前に立った。都築を見上げたまま、身じろぎもしない。都築もその眼を見返し続けた。

「……お帰りなさい」

自分で口にした言葉を、自分で引き戻《もど》してのみこむようないい方だった。都築はうなずいた。眼は都築に向けたままで、えり子は手を出すと、都築の荷物を受けとった。

しかし、そのまま動こうともしない。

「……なにかあったんだね」

都築は聞いた。

「……ええ」

「出て来ることについてかい」

「いいえ、そのことはちっとも」

えり子はかすかに首を左右に振った。

「では」

「あとでね」

二人がいうのが同時だった。今は聞かないでというように、えり子はもう一度首を振って見せた。

藍《あい》一色の地に、極細《ごくぼそ》の白い縞《しま》と縞の間隔だけで味わいを出す糸目絣《いとめがすり》をえり子は着ていた。錆朱《さびしゅ》のつづれの帯の前に廻した両手で、受けとった鞄《かばん》を持つ立姿には、この家のことは自分がとりしきって行くのだという自信を感じさせるものが溢《あふ》れていた。

都築が納得するのを見定めるようにうなずくと、えり子は玄関を先に上った。時代もののガラスなのだろう、無色でありながら、渋い輝やきを秘めた球のついた簪《かんざし》が、斜めにさしてある。

「さ」

上るように都築をうながした時、奥からとめが出て来た。

「お帰りなされましたがか」

表情を崩すわけではないのだが、どことなしに、都築一人が来ていた時にくらべると物腰が優しい。その上、とめ特有のひねった挨拶《あいさつ》の言葉ではなかった。

「驚かれるとこが見たいがやけど、ほんでも、私の役割りじゃないさけえ」

語尾をのばして、二階の方に眼を流した。その顔に謎《なぞ》めいたかすかな笑みが浮いていた。

えり子がなにか二階の八畳に手を加えたらしいなと都築は思った。部屋に入って見ると、変化は都築の予想をはるかにこえたものだった。

「……う……」

都築は思わず声を洩《も》らした。金沢に多いくすんだ赤い壁に塗りかえられている。赤い壁は色の連想とは全く逆に部屋を沈ませる。その沈み具合を引き上げるように、白に近い灰色の腰張りがされていた。

去年買った掛花《かけはな》には、花ではなく、燃え立つように紅葉した楓《かえで》がひと枝さしてある。

床の間には、踊るような筆致で書かれた軸が下げられていた。

その字に見入っている都築を、えり子が顔色をうかがうように見た。

「……勝手をして……」

「いや。どれも、悪くないよ。夢、……下の字は幻かい」

「ええ」

「誰《だれ》だい」

「坂野雄一、……あの、金沢の古い坂や町名の石碑の字を書いている」

「だと思ったよ。二年続けて落第して放校になったが、四高の同級生だ」

「存じてます」

「頼んだのかい、坂野に」

「人伝《ひとづ》てに。……あなたとも私とも知られたくなかったので」

「……夢、幻……君がこう書いてくれといったのか」

「ええ」

都築は座った。

「そうか、夢、幻か」

以前に、都築は全く同じ言葉を思い浮かべたことがある。だが、それは口にしなかった。

「でしょう。……だって」

えり子は座卓の角をはさみながらも都築に寄り添うように座った。備前の煎茶《せんちゃ》のセットが用意されていた。えり子の手がふれる度に、金属音を立てるほど固く焼きしめられている。それも去年はなかったものだった。

「君のいう通り、夢と幻だが、うつつはどこへ行ったんだい」

「ここよ」

からっと明るい返事だった。

「ここ？」

「この部屋」

「なるほど、焼物以外は全部金沢か」

「だって、九谷《くたに》は嫌《きら》いでしょう」

「ああ」

「それからね、うつつはもうひとつ」

右手で茶器を扱いながら、左手を胸に置いて見せた。

「そこかい」

「ええ」

茶器に落していた視線を上げて都築を見た。瞳《ひとみ》の底に燃えるものがあった。都築は手をのばすとえり子を抱き寄せようとした。

「駄目、お茶がこぼれるわ」

いいながらもえり子は逆らわなかった。抱き寄せられる動きで、簪が落ちた。

「崩さないでね、髪を。とめさんの顔がまともには見られなくなるわ」

きめられた言訳にも似たいい方だった。その言葉とは裏腹に、両腕を強く都築の首に廻すと、自分から唇《くちびる》を寄せて来た。

「……長かったわ」

唇が離れると、都築の眼の底をのぞきこむようにしていった。

「僕《ぼく》にも長い一年だったよ」

都築を見ていた眼にかげりがさした。

「……なにか、あったのね、あなたにも」

「……ああ」

じっと都築を見ていた眼がゆっくり閉じられた。

「……聞くわ、どんなことでも」

「止《よ》そう、今は」

開かれた眼の眉根《まゆね》がふっと寄せられた。

「心配しなくてもいい。この家に関することじゃないんだ」

「そう、良かった」

えり子はそういったが、眉根は寄せられたままだった。

「今年は四日目がある。去年の倍の長さじゃないか、急ぐことはないよ」

「じゃ、聞いて下さるのね、私のお願いを」

えり子の顔が見る見る明るくなった。

「連れて行ってほしいというのはどこなんだい」

「白峰村よ、白山のすぐ下の」

そういいながら、えり子は都築の胸から体を起した。

「白峰へ、なにをしに」

「紬《つむぎ》を一反織って貰《もら》うの。御存知でしょう、牛首紬《うしくび》」

「ああ、釘抜紬の別名があるほど強いというあれだね」

「そう」

「どんな着物にするんだい」

都築は聞いたが、えり子は微笑《ほほえ》んで見せただけで答えなかった。その微笑に、都築はなにか拘《こだわ》るものを覚えたが、強《し》いて聞こうとはせずにすませた。いずれえり子が自分から話す。そう思ったのだ。

夕食をすませると、えり子はいつもの通り清原のところへ碁《ご》を打ちに行けと都築にいいだした。いわれるまでもなく、挨拶には出かけて行かなければならない。野外演舞場での踊りは、去年えり子に見せている。毎年各町内の演出が違うのだが、二日目にも演舞場での踊りは行われる。見に行くなら明日ということもある。そう思って、都築はえり子の言葉に従うことにした。

家を出ると、演舞場のスピーカーから流れるおわらが聞えて来た。観光客はほとんどそちらの方に集っている時刻で、諏訪町の通りにはまばらな人影が見えるだけだった。祭の中にも、そんな空白に似た時間がある。

清原の家の玄関をあけると、待ちかねていたように清原が姿を見せた。挨拶と留守にした一年間の礼はきちんと述べなければならない。清原もいちいちそれに応答するのだが、関心はとっくに碁盤の方に行ってしまっているように思えた。

都築は苦笑しながら碁盤の前に座った。珍しいことに、二番続けて都築が勝った。

「お強くなられましたな」

「いえ、なにかの加減でしょう。今度は敗《ま》けるにきまっています」

都築は盤面を片づけ出した。清原も白の石を集めている。その手がふと止った。表を子供の声がまじった合唱が通りすぎて行く。おわらの囃子《はやし》をとりこんだ一風変った勇ましい調子の合唱である。

「東新町のチームですね。演舞場へ出かけて行くところでしょうか」

「ええ」

清原はそういったまま暫《しばら》く耳を傾けていた。

「どこの町内が始めたのか、この頃はどこでもあれをやるんです。しかし、おわらにはそぐわないように私には思えて……。どう思われます」

いかにもおわら保存会長らしい清原の言葉だった。

「あれはあれでいいんじゃないですか」

「そうでしょうか」

「お気になさらなければ」

「しかし、もともとおわらはしっとりした味のものですから」

「それはそれとしてきちんと皆さんが残しておられることですし」

いいながら、都築は清原の左前に石を置いた。清原は受けなかった。

「今日はこれまでにしましょうか」

清原の方からやめようというのは珍しいことである。都築は清原の顔を見た。

「お気にさわりましたか。私のいったことが」

「いえ」

清原はよそうといった盤面に眼を落したままだった。暫く間があって、清原が顔を上げた。

「こんなことは老婆心《ろうばしん》までで、お聞き流し下さって結構なのですが」

「はあ」

「ひと月ほど前でしたか、あなたの家のことを聞きに来られた方がありました」

咄嗟《とっさ》には清原のいう意味が正確につかみきれなかった。

「……聞きに……といいますと、不動産屋かなにか……」

「いえ、私には興信所の人間のように思えましたが」

「……興信所……」

「はあ……確かではありませんが……」

都築は清原が打って来た時に打ち返すために指ではさんでいた石を碁笥《ごけ》に戻した。

石は乾いた音を立てた。

「私はなにも存じませんで通して置きました」

「それは……」

有難うございましたという言葉は素直には口にしかねた。

「あなたとは、妙な御縁でお近づきになって、私はお会い出来るのを楽しみにしております」

「それは、こちらこそ」

「あの方も、まだ言葉はかわしておりませんが、あなたにはお似合いの方で……」

初めて、清原が顔を上げた。

「御事情などお聞きしませんが……」

都築は清原に見ぬかれることはとうに覚悟していた。しかし、清原の方からその問題を切り出して来るとは思いもしなかった。

「狭い町ですから、誰もが見ております」

「……はあ」

「お人柄《ひとがら》でしょう。ファンが多いのです。コーヒー屋の『華』の夫婦とか……とめさんとか……まあ、殊《こと》に、あのとめさんは余計なことはいいませんから、町の人間は……その、却《かえ》って、とめさんが黙っていることで、疑っても見ませんから」

「……はあ」

都築にはそれ以外に答えようがなかった。

「申し上げにくいのですが、私はなにも存じませんで通しても、その人間が聞く気になれば……」

誰もが都築の妻だと話す、清原はそういっているのだった。

「……」

説明すべきなのかどうか。するとすれば、どのような言葉にしたら良いのか、都築は探して見た。思い当らぬ中《うち》に、清原が先を越した。

「私は毎年来て頂きたいと思っております。それも、この先、長く」

「有難うございます」

素直に頭を下げた。

「お耳に入れようかどうしようかと、私も大分迷ったのですが……。さし出がましいことですし」

「いえ」

清原はそれ以上なにもいわなかった。

清原の家を出たが、都築はそのまま家に戻る気にはなれなかった。戻る前に考えて置かなければならないことが沢山ある。坂をくだった。上新町《かみしんまち》の輪踊りが始まったらしく、隣合わせの通りだけに、その音が聞えて来る。都築のくだって行く方向から、数人の歌の夜流しがのぼって来た。普段の都築なら足をとめて聞くか、輪踊りを見に出かけるかするのだが、そんな気分にはなれなかった。知った顔に会釈《えしやく》をすることだけは忘れなかったが、都築はそのまま坂を下りた。

いつもなら『華』にふらっと立ち寄るのも、きまったコースの中のことなのだが、それもうっとうしい。一年ぶりの都築の顔を見て、水谷夫婦が喜んで話しかけて来ることがわかりきっているからである。

〝今年は奥さんは……〟

〝どうして御一緒にお出かけにならない……〟

そんな問いかけにいちいち答える気分にはなれなかった。

結局、歩き疲れて、馴染《なじみ》のない喫茶店に入ってアイス・コーヒーを一杯のみ、くだって来た坂をのぼって、家に帰りついたのは十二時近くになっていた。

家に入ると、玄関脇《わき》の六畳間に、杏里《アンリ》が来ていた。格子《こうし》の内側の簾《すだれ》に身を寄せて流れて来るおわらを聞いていたらしい。都築の帰って来た玄関の戸の音で、杏里ははじかれるように立ち上った。

「お邪魔してます。今年も御迷惑をかけることになって」

杏里の挨拶は杓子定規《しゃくしじょうぎ》に思えるほどきっちりしたものだった。

「いや、いや」

都築はわざと磊落《らいらく》ないい方で答えたが、胸の中では別なことを考えていた。えり子がしきりに挨拶に行けといったのは、清原が都築の相手をしている中に、杏里をこの家に引き入れるためだったのかということだった。その上、最初の日から来ているとなると、杏里は風の盆の三日間この家に居続けるつもりなのだろう。いつの間にえり子と杏里の間にそんな打ち合わせが出来ていたのかと、都築は驚く思いだった。だが、えり子が杏里に同情してそんな計らいをしてやる気なら、それはそれでもいい。あえて都築が反対したり、自分の意見を押しつけたりするほどのことでもない。

杏里との短いやりとりの間に、都築はそんなことを考えたのだが、えり子は二人が向い合って立っているところへ奥から出て来て、都築の考えを読みとったらしい。二人の顔を見較《みくら》べると、首を傾けるようにして杏里にうなずいて見せた。

「あなたお風呂《ふろ》をどうぞ、入って頂かないと、ほかの人が困るわ」

えり子はそういって都築を押しやるようにした。

着替えを持って、都築が二階から下りて来ると、小声でえり子が杏里に話してやっているのが聞えた。

「心配しなくてもいいのよ。余計なことはいわないけど、なんでもわかっている人なんだから」

湯を浴びながら、自分の身にひきかえて杏里のことを考えてやるえり子の心情を探って見ようとした。だが、同じ頭の中の別の場所では、清原からいわれたことを考えていて、ともすれば、それが重いものになってのしかかって来るのだった。

蚊帳《かや》の中に滑りこんで来たえり子は都築の胸に顔を埋めた。

水音と遠い胡弓《こきゆう》の音だけの静かな時間がすぎて行った。その水音に耳を傾けながら、都築は迷っていた。一年ぶりの激情は、えり子の顔を見た時から、都築の体の中で燃えている。だが、押し流されてはならないと都築をとめているものがあった。

都築は優しくえり子の背を撫《な》でていた。そして、その手をとめた。なにも、今日の中に話して置かなければならないわけでもない。流されるものに流されよう、そう思ったのだ。その時だった。

「ね、聞かせて」

えり子は一層深く顔を埋めるようにしていった。

「……」

都築の返事は言葉にはならなかった。そして、自分でも、自分の体が緊張でこわばるのがわかった。えり子はそれ以上催促はしなかった。水が容器の形にそうように、都築に体全体をあずけ、安心しきっているのが感じられた。

「余り、いい話ではない」

「……多分ね。……でも、聞きます」

「この家のことを誰かが調べている」

「……それ、ほんと？」

背をのけぞらすようにして都築の顔を見た。全く予想もしていなかったことを聞かされた意外さを表情は見せていたが、どこか深い驚きとは違っていた。

「……誰かって……」

「聞いて廻った人間がいるとしかわからない」

「そう、それを、清原さんから」

「ああ」

「それであんなに遅くなったのね」

「誰か……ということを考えていたんだ」

えり子は都築から体を離すと、夜具の上に座った。

「……早いのね」

「なにが」

「そんな日が……いつか来るとは思っていたけど……」

瞳を沈みこませるように、深く折りこまれていた瞼《まぶた》が下りた。

「矢張りね」

「調べようなんて人間は、二人しかいない」

都築も座り直した。煙草《たばこ》に火をつけた。

「その、どちらかということだが……」

「ええ」

「君は中出君のはずがないと思っているだろうし、僕はうちのだなんてことは信じられない」

「……でしょうね。しいちゃんなら、調べたりする前にあなたにじかにいうわ」

「多分な。……中出君は……」

「すぐ顔に出ます」

それきり沈黙が来た。水音が一層強さを増したように都築には思えた。

煙草の火を消して横になると、えり子が身を添わせて来た。

「あなたがさんざ考えて、結論が出せなかったことよ」

「うむ。……で」

「あのね」

そういいさして、えり子は暫く都築の鼓動を聞くように顔を寄せたままでいた。その顔をやや離して、胸もとから都築の顔を見上げた。

「いってしまっていいかしら」

「ああ」

「……結論が出ないことを考えても仕方がないわ」

「それはそうだが」

「誰かということはいずれわかります。わからないままではすまないわ」

「僕たちが見えなくなっているだけの話か」

「そうね」

「しかし……」

そこまでで都築はやめた。

「なに？」

「いやね、君のいう通りだと僕にもわかるんだが、……しかし、考えないではいられない。……わからないではすまないというのは……君は……強いな」

「女って、そんなものよ。考えるのは、八尾に来るまでにしたこと……今は流れるだけですもの」

えり子の眼に、諦《あきら》め、覚悟、居直り、陶酔、様々なものが宿されているのを都築は見た。

「この家を燃してしまっても、私たちがしたことは消えないわ。来年から来ることを止めてしまっても消えないわ。……そうでしょう」

「ああ」

えり子は唇《くちびる》を寄せて来た。だが、それは、今のひと時を溺《おぼ》れて過そうというものとは違っていた。そのことを都築が感じとった時、えり子は自分から唇を離した。

「……死ねるかって……そういったわね」

「ああ」

「一年、そのことを考え続けたわ」

「そうか」

「……そうか……って？」

「同じだからさ」

「そう」

えり子は含み笑いを洩《も》らした。

「こんな命、今すぐにでもといったわね。覚えてる」

「覚えてるよ」

「それが、一年考えた末に変ったの」

「どう変ったんだ」

「死ねばいいんでしょう……って。だから、恐《こわ》いものがなくなったの」

澄みきった眼だった。

「ただね、……あなたがついて来て下さるかどうかだけ」

「僕もそのことだけを考えて来た」

「一年？」

「まあな。……それがここへ来て急に煮つまった」

「……それね、なにかがあったというのは」

「ああ」

「話して」

「人を一人殺した」

「まさか」

「勿論《もちろん》、僕が手を下したわけじゃない」

都築はそれほど脅《おび》えた人間の声を聞いたことがなかった。

「部長、恐いんです。本当に恐いんです」

ベイルートからの電話の向うで、かけて来た特派員の声は慄《ふる》えていた。

「お前も新聞記者だろう」

都築は怒鳴った。叱《しか》るつもりはなかった。励ます気持の方が強かったのだが、相手はそうはとらなかった。

「他社の記者がどんどん脱出しています。なぜ僕だけが残らなきゃならないんです」

「日本の他社が逃げるからだよ。アメリカやフランスの通信社は最後まで特派員を残すといってる」

「しかしいつ支局にロケット弾がとびこんで来るかわからないんです。近くのアパートには、現に三発も四発も撃ちこまれています」

「良く聞けよ。窓に砂袋を積め」

「やってあります」

「だったら、二重にしろ。でかい日の丸を窓にはりつけろ」

「いわれなくたって、とっくにそんなことはやってあります」

「俺《おれ》だって、そうしてあのテト攻勢のサイゴンに残ったんだ」

いった時に、ふと頭をかすめたことがあった。そのサイゴンで、他社の記者がアパートにロケット弾の直撃を受けて死んだのだ。睡眠中の殉職だった。

「そんなことは部長にいわれなくたって良く知ってます。でも、ここの戦争は違うんです。なにもかもが無茶です」

「無茶でない戦争なんてものがあるか。その無茶を取材するためにお前はベイルートに行ってるんだ。いいか、これからいうことを頭に叩《たた》きこめ」

そういった途端に電話線の接続がきれた。

「もしもし、もしもし」

都築は叫び続けたが、答えはなかった。外報部全体が総立ちになった感じで、このやりとりを聞いていた。

都築がいいたかったのは、日本の記者全員が脱出したあとで、一本、長文の電報を打ってから出ろということだった。新聞記者は戦闘員として従軍しているわけではない。大事にしなければならないのは、記事よりも人間の生命である。ただ、都築はこの特派員に期待を持っていた。手柄《てがら》を立てさせてやりたかった。アメリカやフランスの記者が残るというのは、危険であっても判断さえ誤らなければ生き残れるという計算から出ている。

しかし、一本だけでいいから記事を送り、そのあとで脱出しろとの真意は、特派員にも伝わらなかった。勿論、そばで聞いていた外報部員たちにも理解されなかった。

部員総がかりでベイルート支局の安否を確かめにかかったが、電話はほとんど役に立たなかった。そこへ一本の電報が入った。部長の指示通り残るが、それは自分の意志ではないという文面だった。

誰も口にはしなかったが、ひそかに恐れていた電話中のロケット弾直撃という事態は杞憂《きゆう》に終った。しかし、翌々日、離脱するとの電報を再度打って来た特派員は、脱出途中に、自動車に砲弾の直撃を受けて死んだ。

「砂袋のかげでじっとしてればいいものを、なまじ急いで逃げようとするから」

都築同様に数々の修羅場《しゅらば》をくぐり抜けて来た次長は、吐き捨てるように都築にいったが、都築には答える言葉もなかった。確かに次長のいう通りなのだが、その理屈は戦争を知る人間だけにわかって貰《もら》えるもので、世間に通用するものではなかった。

「……で、あなたはどうなさったの」

えり子が聞いた。

「編集局長は遠廻しに辞表を出せといったが断わった。僕自身が辞めることは一向に構わん。しかし、そのような前例を作ったら、この先、新聞社は戦争の取材が出来なくなる。外報部長は危険な場所へは部下を出せなくなる。……そういったよ」

「正論ね」

「ただ、問題は残る」

「どんな」

「ひとつは局長だ」

「手紙に書いてあったあの人ね」

「ああ。良く出来る男でね。ヨーロッパ総局長時代に、パリのベトナム和平会談を取材した」

「……確か、あなたも」

「僕は東京から取材チームの責任者として送りこまれたんだ」

「そうだったの」

「同期の僕に指揮権があるのが気に入らなかったのだろう。僕の許可も受けずに、なん本も記事を東京へ送った。みんな良い記事だったよ。でも、明らかな規律違反で僕の立場がない」

「それは、そうね」

「で、一度、飲みながら、問題は記事の良し悪しではない、ただ、チーム・ワークを乱しては困るといったんだ。しかし、相手はそうはとらなかった。東京の命令を笠《かさ》に着てと考えたのだろう。そのしこりがまだ残ってるんだ」

えり子はまさぐるように手をのばして都築の手を握った。

「いやなことねえ」

「組織というのは、大なり小なりそんなもんだ。だから、それはいいんだ。しかし、人脈みたいなものがあってね、局長にゴマをする奴《やつ》が、死んだ特派員の奥さんに電話のことを話した」

「なんてことをするの」

えり子は都築から身を離して座り直した。

「……で、その奥さんは？」

都築は仰向《あおむ》けになると、両手を自分の頭の下に組んだ。

「僕が彼を殺したとその男はいったんだが、奥さんは半信半疑で局長に聞きに行った。三十すぎまで一人でいた男で、奥さんがまだ若い。局長に会いに来たその日から、僕への態度が別人のように変ってしまった」

「……そう」

そのまま、やや暫くえり子は考えこんでいるように見えた。

「でも、あなたには説明のしようのないことなのね」

「ああ」

都築はえり子の手をとると、自分の胸に引き寄せた。えり子の肩が慄えていた。

「で、煮つまって来た……というのは……」

「その奥さんが妊娠している」

「……そうなの」

「彼が逃げたいといった理由のひとつには、そのことがあったんだろう」

「責めてらっしゃるの、御自分を」

「難しい質問だな。僕が責任を感ずる筋合いのことではない。なん度考えても、結論はそうなる。……しかし、それではすまない」

「……そうねえ」

「うちの弁護士殿によれば、責任は総《すべ》て社にあって、外報部長はこの件に関して、一切、法的な責任はない。……そういうんだ。個人的な罪障感は本人の道徳の範囲の問題だが、客観的に見れば、道徳的責任を感ずることさえ嗜虐《しぎやく》的に思える」

「……しぎゃく？」

「好んで責任を感じたがっている……つまり、悲愴《ひそうかん》感を求めている」

「明快ね。……でも、その問題では、しいちゃんが正しいわ」

「止せよ、心にもない嘘《うそ》をいうのは」

胸に置かれていたえり子の左手が、都築の腋《わき》から背に廻され、力がこめられた。

「無理ね、あなたにそう思えというのは」

「まあね」

「でも、だからって、あなたが死の問題を考えることには結びつかないわ」

「そうかな」

「そうよ」

むきになったいい方だった。

「考えてるんだとしたら、あなたは死ぬ口実を探しているように思えるわ」

「そうかな」

「そうです」

「でもな、……ものういぜ」

「なにが」

「人の眼が。……敗《ま》けまいとして背筋をのばしている自分の姿が。……この頃《ごろ》な、疲れたと思うよ。いや、この問題だけをいっているんじゃない。がむしゃらに生きて来て、一体、なにが出来たんだと思う。……疲れたんだよ。……そこに、このものうさだ」

えり子は黙って聞いていた。

「こんないい方をしちゃいけないんだが、君にはなにが出来た」

なにもいわずに、えり子は背に廻した手を更に深く差し入れて来た。都築を胸に抱き寄せようとしているのかと思えた。

「あの意味のない戦争、飢え、……そして、今のこの時代だ。確かに俺たちは力の限り生きて来たさ。しかし、生きて来ただけのことじゃないのか。もう下りたといって、生きるのを止めた奴が羨《うらやま》しくなることがある。……あの日の内灘《うちなだ》の海が突然眼の前に戻《もど》って来たりするんだ。命ひとつをこの世に送り出した君には無理か、こんなことをわかれというのは」

「いいえ、わかります。……あなたは矢張り口実やら自分に納得させる理由やらを探しているわ」

「そう思うかい」

「思います。……杏里《アンリ》ちゃんが話してくれたわ。口実なんて、その気になって探したらいくらでもある。でも、そんなものはなんの役にも立たないって。理由なんか、なんにも要らなくなった時に、人間は初めて死ねるんだそうよ。……誰《だれ》がなんといおうと、自分の良心がどう反対しようと、この人はもう誰にも渡せない、私の女の命を輝やかせてくれるのはこの人だけ……そう思った時に、死ぬという結論が、ごく当り前のことのように心の中に入りこんで来たって……」

えり子は都築の腋に廻していた手を抜いた。もどかしげに都築の右手を探ると、自分の左の胸に持ちそえた。

「ここよ」

そういって、一度は浴衣《ゆかた》の上から胸に当てた都築の手を、胸をはだけるようにして、左の乳の下に置き直した。

「あの子のここには突き傷が残っているのよ。……あなたが死ぬのなら、私も連れて行ってね。突くのはここよ。……間違えないで。……深く……よ。あの子はね、生き残ってしまってから、口実と理由ばっかりを探して生きているんです。もし、私たちが死ぬのなら、あの子みたいなこと、私は嫌《いや》よ。……あんなことにはしないでね」

自分の胸に押しつけた都築の手を、えり子はじれたように乳房に引き寄せた。

「……きつく」

えり子のあえぎが都築の耳から水音を消し去って行った。

翌朝は雨だった。都築が風の盆に通い出してから初めてのことである。

「なんにもせんと、うちの中におるこっちゃ。長生きしてみると、ぼんやりしてなんにもせんで過した日なんて、一日もなかったような気のして来るもんや。ほりゃ味気ないもんやぞ。人生なんも急ぐことはないわいね」

杏里も加わった朝食の食卓でとめはそういった。ふざけたことをいう婆《ばあ》さんだというように、えり子の眼が都築に向けて僅《わず》かに細められた。

水音の絶え間がない家でも、雨脚の音は聞える。昼すぎ、その雨の音がやや小さくなった。その降り加減を見るつもりだったのだろう。玄関の戸をあけたえり子が声を上げた。

「あなた」

呼ばれて都築が玄関の庇《ひさし》の下に並んでみると、雨に濡《ぬ》れそぼった一輪の酔芙蓉《すいふよう》が咲いていた。もう、色づいている。

「几帳面《きちようめん》なのね」

えり子は溜息《ためいき》をついた。

「太陽が出ていないのに、どうして時間がわかるの」

都築も同じ思いだった。花は八重だけに、多くの水滴を宿してしまっている。花びらがなんとも重そうに見えた。

「陽《ひ》に輝やく花があるのに、それこそ陽の目も見ずに酔って散る花もあるのね」

雨の滴《しずく》の重さを必死に耐えて咲いている花の様が、都築には簾《すだれ》ごしに食い入るように夜流しに見入っている杏里の横顔そのものに思えた。

「ちょっと清原さんのところへ行って来る」

そういうと、都築はえり子の返事も待たずに清原の家に走った。

清原は雨で退屈した都築が碁を打ちに来たと思ったらしい。

「さ、どうぞ」

と、昨夜から置かれたままの碁盤の前に都築を案内した。

「……実は、是非聞いて頂きたいことがあって参りました」

「……はあ」

清原は都築の改まった態度をいぶかしそうな顔で見た。

「どんなことでしょう」

自分の家にいるとはいわなかったが、杏里が風の盆の間じゅうは八尾に来ていることを都築は話した。

「はあ」

清原の返事はひどく冷たかった。それは予期していたというようにも聞えたし、自分には無縁のことだといっているようにもとれた。

「昨夜、私たちがどんな関係の人間かは聞かないが、長く風の盆に来てほしいとおっしゃいましたね」

「ええ、申し上げました」

眉《まゆ》も動かさないという答え方だった。

「私たちはそれぞれが家を持っております」

「家かどうかはなんですが、……事情は……大体」

平然とした清原の答え方は変らない。

「妙ないい方になりますが、お察しの上で、私たちを許して下さっておられると……」

「そんなつきつめたいい方ですとちょっとなんですが……」

意味に大差はないという部分を、清原はうなずきに変えた。

「私たちにはそれだけの御理解を示されるのに、なぜ」

「杏里のことは許せんといわれるのですか」

きっぱりした問い返し方だった。柔らかな物腰にはそぐわないほど、語気には都築が気押《けお》されるものがあった。

「そうです。私たちをお許しになれるものなら、杏里さんも許して上げて頂けませんか」

「それは出来ません」

「なぜです」

「杏里は人を殺しました」

「不幸な結果がそうなっただけのことじゃないですか」

「ひと様はそういって下さいます。私にも娘の不始末に眼を瞑《つぶ》ってやるぐらいの父親の情はあります。しかし、私が許せば、向う様の残された方たちに背を向けることになります。……ですから、こうする以外に手向《たむけ》の方法がないのです」

教育者だっただけに、論理には一点のつけ入るすきもなかった。

「それに、あなた方はなん十年か、耐えて来ておられた。……私にはそう見えますが」

「ええ、……そんな立派なことではございませんが」

「辛《つら》さの底から噴き出したものは責められません」

「でも、それは」

「杏里も同じだといわれるのですか」

「はあ」

「違いますよ、都築さん。……杏里は無茶な走り方をしただけです。……お子さんがないといわれましたね」

「はあ」

「娘は可愛いものです。杏里が一生日陰者でいる道を選んだのだったら、私はとことんかばってやりました。笑い者にされても、知らん顔で浴衣を着ておわらを踊ったでしょう」

都築には返す言葉がなかった。

玄関に送り出しながら、清原は都築にごくさりげない口調でいった。

「都築さん、有難うございました。杏里のことは恩に着ております。……母も姉もない子です。有難うございます」

都築は顔をそむけたままで清原の家の玄関を出た。

自分の家に入りかけた時、つい先ほど咲いていた花が散っているのに気づいた。雨の中の花は酔いきらぬ中《うち》に散ったのだった。

都築はこの花のことはえり子に話すまいと心にきめて玄関の戸をしめた。


三日目、小降りにはなったが雨は残った。家の中にいても、夕暮を待ちかねるように人々が歌い踊り始めるのがわかった。前夜、発散しきれなかったものを抱えた人たちには、少々の雨など気にはならないのだ。そこが晩夏の祭の良さでもあるのだろう。

夕方近くになる頃から、杏里になん度か電話がかかり、杏里もどこかにかけていた。話の内容はよくはわからないが、今年も妙子たちと打ち合わせて、鏡町の夜流しにとびこむつもりでいるらしい。

都築は昨夜清原と交《か》わした話の内容を杏里に話してやろうかとなん度も思った。だが、その度に思い止《とどま》った。都築を送り出した時の言葉は、清原が杏里のことを承知して黙っているようにとれる。それを教えてやれば、杏里も喜ぶだろうが、知らぬふりをしている父親の心づかいを無にすることになる。

「杏里ちゃん、お父さんの耳に入らないように、そのことだけは気をつけなさい」

夕食の時、都築は自分の思案とは全く逆のことをいった。

「人間には知っとって黙っとるということがあるさかいな」

とめが箸《はし》の手をとめて、どきっとするようなことをいった。恐しい婆さんだと、都築はまたとめを見直す思いだった。

「はい」

杏里はしおらしい表情でそう答えた。とめにさされた釘《くぎ》がきいたのだろう、夕食後、今にもはばたいて出て行きそうな杏里の落ちつきのなさは幾分おさまったが、それも二、三時間のことだった。二階で本を読んでいると、階下の台所に接した茶の間で女三人がなにかを話しているらしい様子が伝わって来る。その三人の声の中で、杏里のものがひどく甲高《かんだか》かった。

九時近くに、えり子が二階に上って来た。

「ね、出ません」

「雨の中へそのなりでかい」

都築は問い返した。去年、三枝子に誘われて踊った時の薩摩絣《さつまがすり》をえり子は着ていた。

「大丈夫よ木綿《もめん》ですから。さっきから、もう踊りたくてうずうずしているの」

都築は苦笑を返した。そういえば、都築には見せないのだが、昨日、今日と、杏里に踊りを教えられている様子がうかがえた。

「特訓の効果はあったのかい」

「御存知だったの、なんだつまらない。驚かしてやろうと思ってたのに」

えり子ははしゃいだいい方をした。

「じゃ、出てみようか」

都築も少しばかりの雨なら構わないと思っていた矢先だった。それに、今年は二日続けて都築が清原を訪ねただけで、えり子は夜の町に一度も出ていない。

今にも踊り出しそうなえり子の物いいだったが、外に出るとえり子は上新町の輪踊りにとはいわなかった。

「歩きましょうか」

そういって、すっと肩を寄せて来た。雨はほとんど上っている。だが、坂をくだって八尾の盛り場に出て行くと、誰もが濡《ぬ》れそぼったようになっていた。

いつもならば、ノド自慢の人たちが町角に出て歌うのはもう少し遅くなる。だが、昨日の雨で待ちきれなかったのだろう、二人が歩いて行く先々で人々は歌っていた。ひとわたり町を廻って、上新町までのぼって来た時には、十二時までときまっている輪踊りが終りかかっていた。

「あと十五分で、今年の輪踊りも終りです。さ、みなさん、立っていないで踊りましょう。十五分たてば、おわらには一年間の長い休みが来るのです」

マイクの声が歌に重なって、人々を煽《あお》り立てるようにひびいた。

「踊らないのかい」

都築は足をとめて聞いた。

「いいの。十五分じゃ満足出来そうにないもの。来年までとって置くわ」

えり子はつんと顎《あご》を上げるようにして答えた。

「自慢らしいやろ」

ちょっと高慢でしょうという金沢弁がすらっとえり子の口から出た。

「ほうやな」

都築も金沢弁で答えると、えり子は肩をぶつけて来た。

「ああ、幸せ」

都築がその肩に手を廻してやると、えり子はのび上るようにして囁《ささや》いた。

「抱いてね、今夜も」

都築は答えを言葉にはせずに、肩に廻した手に力をこめた。

輪踊りが終るのを待って、コーヒー店の『華』に寄った。修一も三枝子も今夜はほとんど夜あかしのつもりでいる。歌い疲れ、踊り疲れて入って来る人たちが絶えない上に、二人とも交互に店を相手に押しつけては町に出て行く気でいるのだ。

二人は都築が心配している興信所の男のことはいわなかった。しかし、客の少くなった時に修一が二人の席にすっと寄って来て、小声でいった。

「杏里ちゃんのこと有難うございました。鏡町の連中が感激して、みんな奥さんのファンになってます。今年も鏡町の夜流しを是非見て下さいと連中がいってました」

いわれるまでもなく、都築はそのつもりでいた。三日間、えり子が出たいといわないでいたのも、鏡町の夜流しの踊りがあるからだということもわかっていた。

「ただ、ちょっと心配です。去年、富山の新聞にそのことを書いた人があって、今年はなん人かの人に聞かれました。余り人気が出ると、折角のあの味がなくなっちゃいますから」

修一はそうつけ加えた。都築も同じ思いだった。人に見せるという目的でなく、自分たちの踊りたい気持のままに動いて行くから、鏡町の夜流しには神秘的な陶酔感がある。都築にはそう思える。そんな気持がえり子にも通じたらしい。

「墨絵に色彩がのせられるようで…… いやねえ」

えり子はそういった。修一にもえり子のいう意味はよくわかるのだ。

「ですから、今年から出来るだけ遅く出るといってます。どうぞ、ゆっくりして行って下さい」

カウンターの中に戻りながら修一は返事も待たずにうなずいて見せた。

「では、サンドイッチでも作って下さる」

えり子の声に、三枝子がはずんだ声を返して来た。

「今、おそばを作りますから召し上って見て下さい。八尾のおそばは美味《おい》しいんです」

一時近くに電話が鳴った。修一がとり上げ、言葉少なに答えて切った。そのまま、二人の座っている席に来ると、修一はいった。

「今、鏡町を出るそうです。諏訪町《すわまち》のお宅の前を通って……」

杏里を拾うという意味だった。

「それから東新町へのぼって、上新町の裏側の通りを下るといってます」

その時、急に雨脚の音が増した。

「あら」

えり子の声で、修一も店の表の方を振り向いたが、もう一度、二人の方に向き直った。

「まだ時間がありますから、もう少し様子を見ていて下さい」

「そうねえ」

えり子は答えた。

しかし、待っても雨の音はやむ気配も見せなかった。修一も三枝子も苛立《いらだ》っているのが都築にはよくわかった。

「行きましょう、あなた。見損なっちゃうわ」

えり子は立ち上った。

「じゃ、傘《かさ》をお持ち下さい。僕《ぼく》たちもすぐあとから行きます」

修一がいい終らぬ中に、奥に入った三枝子が傘を持って来てくれた。

店を出ると、叩《たた》きつけるような雨だった。一本の傘に身を寄せて、軒先伝いに上新町の坂をのぼり始めると、東新町の方から胡弓《こきゅう》が聞えて来た。

「もう、家の前は通りすぎてこっちへ来るわ」

えり子は坂の上の方を指した。

「のぼろう」

都築はえり子の背に廻した腕で促《うなが》すようにした。のぼりきらぬ中に、東新町から曲って来た踊りが見えた。修一が心配していた通り、烈《はげ》しい雨なのに、かなりな見物の人数が一緒に動いて来た。

二人は上新町の通りを右に曲った。そこで一本裏通りに出れば、くだって来る踊りの先に出られる。去年、都築がえり子の手をひいて踊りを追いこした時、〝なぜ〟とえり子は聞いた。しかし、今年は都築の手が合図するより早く、えり子も上新町から右に曲るつもりで動いていた。地理も夜流しの踊りの見方もえり子はのみこんだのだ。

裏通りに出たところで待つと、間もなく、ごく短い横道を踊り過ぎて、踊りの先頭が、二人から見上げる坂の上に出て来た。踊り手たちは雨脚など全く気にならないように笠《かさ》の顔を心持ち下に向け、静かに踊り進んで来る。遠目にも衣裳《いしよう》がぬれそぼっているのがわかった。だが、それをはね返すような熱気が一団を包んでいた。楽器の革がぬれるのを防ぐためだろう。太鼓、三味線、胡弓の地方《じかた》たちを、左右と後ろの三方からすっぽりと囲みこむように傘がさしかけられている。地方は後からついて来るので、胡弓の音色も殆《ほとん》ど耳に届いて来ない。去年見た通りの無音に近い踊りが坂を下って来た。

篠《しの》つく雨の中で、踊り手たちは全く急ぐ気配も見せず、四列が止るべきときには止り、動くべきときにはゆるやかに動いている。種を蒔《ま》き、田の中の小石を投げ捨て、明日の雲行きを見、稲穂がゆれ、稲を刈《か》り、束に結び、稲架《はさ》にかけと、踊りのふりが作られたという農作業のありようを、踊り手たちはひたひたと踊り進めて来る。

傘ではとても防ぎきれない雨脚が、二人をしとどに濡らしているのを、都築はいつか忘れていた。見る眼には、雨が踊りに紗《しゃ》をかけたような効果になっている。えり子が墨絵といった踊りの様が、ぼかしをともなったように、にじみを持ったように見えるのだ。杏里《アンリ》も妙子もそのぼかしとにじみの中にいた。どちらが杏里で、どちらが妙子かの見分けもつきにくい。近づいて来る踊りが、遠のいて行くものにも思える。踊り手たちが雨を忘れ、群舞で動いているだけに、なおのこと、そのにじみが美しかった。

都築は酔っていた。自分の腕の中で、えり子も酔っているのを感じとっていた。えり子の酔い方に、ひとしおいとおしさが増して、なぜか、のび上って〝抱いてね〟といったえり子の囁きが思い返された。廻した手に力をこめて、そのことを伝えてやりたくなった。

「……小絵《さえ》……」

呟《つぶや》きに似た言葉がえり子の唇《くちびる》を洩《も》れた。えり子の体が都築の腕の中で、反《そ》りかえるように硬くなった。

「小絵」

今度ははっきりした呼びかけだった。

「あなた、小絵よ」

えり子は群舞と一緒に坂を下りて来る見物の人々の方を指した。指し終らぬ中に、都築をはじきとばすように雨の中に走り出た。踊りの列を横切ることが出来ず、動いて来る人垣《ひとがき》と踊りとの間を走りながら、二、三度行きつ戻りつした。

都築は追いついて呼びとめた。

「えり子」

「小絵よ、小絵がいたのよ。あっち、あっちへ行ったわ。追って。ね、追いついてあの子をつかまえて」

えり子は群舞の向うの家並の間を指していた。

「本当なのか、間違いないのか」

「見えたのよ、あの子に見えたのよ」

いい終らぬ中に、えり子は踊り手が後退する瞬間を捕えて列をつっ切った。都築は追った。

家並の隙間《すきま》をぬけると、背中合わせになった家と家との間に、人一人がやっと通れるほどの細い道がのびている。去年、とめが人眼をしのんで、杏里を都築の家に導き入れた道と同じような通路である。

えり子は走っていた。道とはいえ、石だらけで、曲り、花を植えたプランターや、捨てるまえの廃品などが置かれている。えり子は足をとられ、転びそうになりながらも走るのをやめなかった。走る先に人影はない。

「こっちだ」

都築は並んだ家のすき間を見つけて叫んだ。体を斜めにして通るほどの間隔しかない。都築の声に、えり子が戻って来た。そこを抜けると、上新町に出た。えり子は坂の上を見、下を見て足をとめた。

まだ歌っているひと群れ、ふた群れが眼に入り、歩いている人間もなん人かは眼に入った。だが、都築の眼には、それと思える姿が見当らない。

「確かなのか」

都築は聞いた。えり子は荒い息をついているだけで、すぐには答えられない様子だった。

「確かに見たのか」

えり子はゆっくり首を左右に振った。

「わからないわ。……確かに、見たようにも思えるし、信じられない気もするし……。顔よ……あの子の顔が、見物の人の中にまじっていたように思えたの。……その顔が、あの家と家の間に消えたように……。でも、いくらなんでも、まさか」

もう一度、今度は自分の見たものが信じられないという顔で首を振った。

「ね、どうして？　どうして小絵が八尾に来たりするの？」

とり縋《すが》るような眼で都築を見た。

「誰か似た顔を見たんじゃないのか。ふっと娘のことを考えたりして。杏里ちゃんからの連想じゃないのかい。年頃《としごろ》が近いし」

えり子は答えなかった。自分の胸の中をまさぐるような間《ま》があった。

「……小絵のことなど、ほとんど忘れているのよ。あなたと一緒の時は。……悪い母親なのよ」

都築にはかけてやる言葉もなかった。ふと気がつくと、都築を見上げているえり子の顔を雨脚がたたいている。都築は傘を開いた。

「帰ろう」

背に手を廻して歩き出した。横道を上新町から諏訪町に出た。諏訪町には人影がなく、灯《あかり》の入ったぼんぼりの列だけが坂を下っていた。

翌朝眼をさますと、昨夜の雨が嘘《うそ》のような快晴だった。とめによると、杏里が帰って来たのは四時近くになっていたというが、そのまま寝ずに、朝六時すぎの一番の列車で富山に向ったとのことだった。

いつの間に書いたのか、杏里から二人に宛《あ》てた礼状が残されていた。

……お二人の御心の深さが身にしみます。それだけにいつまでも甘えていて良いというものでもありませんし、一年間、ひと様のお世話にならないでやって行ける強さが、まだ私に残っているのかどうか、私なりに探って見るつもりです……

都築が渡してやった手紙の一節にそんなことが書いてあるのを見て、えり子はいった。

「もう大丈夫よ、あの子は。でも、羨しいわ。……あの子のとしなら、まだやり直せるんですもの」

自分で口にした言葉の重さを、えり子は噛《か》みしめているように見えた。とめに来年までのことを頼み、タクシーで富山に出て、レンタカーを借り、走り出してからもほとんど口をきかなかった。

「道が違うわ」

えり子がそういったのは、北陸高速道路入口の標識を無視して、都築が国道四一号線を真直《まっすぐ》に南下しはじめた時だった。

「金沢を通るんじゃないの」

えり子は重ねて聞いた。

「いいや」

都築もそう答えただけだった。しばらく走ると、神通川が右側から寄って来て、橋で川を越える。道端に古びた石の道標があって、渡った橋のたもとから川ぞいに下るのが八尾に出る道だと刻んであった。えり子は振り返って見た。

十キロほど南下すると、三六〇号線との分岐点に出る。神通川が高原川と宮川とに分かれる。都築は宮川ぞいの三六〇号線に入った。三十分ほど道は曲りくねって進む。高架と隧道《ずいどう》をつないだ高山本線と、眼の下に深く落ちこんだ宮川の谷と、二人が進む道とが縄《なわ》をなうように位置をかえながら、山が深まって行く。しかし、宮川が道の右側だけを流れはじめるあたりから、道は高地なりに平らに走る。川は時に岩を嚙む瀬の烈しさを見せ、時に水量を増して澱《よど》んでいた。澱みの上を、靄《もや》のようにたちこめた水蒸気が静かに滑っていた。対岸の崖《がけ》にはどんな種類なのか、早くも色づき始めた葉に包まれている木がある。靄はその紅葉に染められたように、そこだけ紅ににじんでいた。

宮川村という標識が出て、間もなく右、天生峠《あもうとうげ》と書かれた木造の道標があった。

「天生峠……あの、鏡花の『高野聖《こうやひじり》』の道ね」

「うん」

「連れて行って下さるの」

「ああ」

それだけのやりとりだった。右に曲ると、途端に道幅が狭まり、嶮《けわ》しくなった。農家の庭先すれすれのところを走りぬけると、鶏が悲鳴を上げて逃げる。深く抉《えぐ》れた轍《わだち》の跡は、道の中央に雑草の帯を残していて、注意しなければ草にかくされた土の盛り上りや石で車の腹を擦《こす》る。道端からのびた枝がフロント・グラスを叩き、その勢いの余りで、都築の横顔をかすめる。えり子の座っている側には、広く深い谷が迫っていて、生え揃《そろ》った薄《すすき》の穂波ごしに時折谷底の水や山はだから落ちる滝が見えた。

東から西に峠越えをするために、南に廻り始めた太陽が薄の穂を逆光線で輝やかせる。車のスピードを極度に落して運転しているのだが、開いた窓すれすれを薄の穂波がすぎて行く。そのせいで、光の帯がえり子の顔の横を流れるように見えた。山の斜面が日陰になって黒く沈んでいるために輝やきが殊更《ことさら》に眩《まぶ》しい。異次元の世界に誘いこんで行くような鏡花の作品の背景は、こんな光の魔術が根に絡《から》んでいたのではないか。都築はそう思って、チラとえり子の横顔を見た。えり子は酔ったように座席の背にもたれて眼をとじていた。

都築は崖の側にはり出した道のひろがりを見つけて車をとめた。

「少し休もうか」

つとめて、声を優しくした。

「ええ」

「酔ったのかい」

「気分が悪いわけじゃないの。でも、脳髄の奥の奥まで光が溢《あふ》れ返ってしまったみたいで……」

えり子のいい方が、言葉は硬いが、いかにも人間の生理がうけとめる様をうまくい い表わしている。都築はつい笑わされた。

「……やっと笑って下さったのね」

「昨夜のことがあってから、君は正気に戻《もど》ってしまっているのでね」

「御免なさいね。……わかっていたわ」

重そうに開いた眼で都築を見た。座席に沈みこんでしまったとも見える無力さからはまだ立ち直ってはいない。

「……母親だってことが、女の私を引き止めるのよ」

「わかる。……よくわかるんだが」

「同情はしないとおっしゃるの」

「いや、ちょっと違うな。……僕たちの間で君だけという問題はもうないんだよ。そのことがわかっていながら、昨夜から一人になろう、一人になろうとしている」

「御免なさいね。本当に」

えり子は手をのばして、都築の手に重ねた。

「ああ。……といって、僕になにが出来るわけでもない。それだけに、なお、一人になられるのは困るんだよ」

「わかったわ」

重ねた手に力をこめて来た。都築は握り返した。

「私を元に引き戻したくてこの道を選んだの」

「そんなに先を見越したわけじゃないさ。車を借りる時に地図を貰《もら》ったら、天生峠という字が眼に入っただけだ。いつかは通って見たい道だったんだよ。中学校の四年生の時に、海軍の戦闘機を作る工場に動員されていて、その行き帰りに『歌行燈《うたあんどん》』と『高野聖《こうやひじり》』が一冊になっている文庫本を読んだ。四高を選んだ理由は鏡花の生れた土地だったということだからね」

「その文庫本が私たちを会わせてくれたの」

「一つ星二十銭の文庫がね。こんな出会いには安い投資だった」

えり子は笑わなかった。輝やきを増したように見える眼で都築を見ていたが、静かに眼を閉じると、都築の膝《ひざ》に顔を伏せた。都築はその背中を撫《な》でてやった。

山道に入ったあたりに数軒の人家があったきりで、そのあとは全く人の気配もない。追って来る車もなければ、前から下って来る車もなかった。吹きすぎる風がすることなのか、時々山が鳴った。あとは鳥のなき声が耳に入って来るだけである。

荒かったえり子の息づかいが次第に静まって来た。都築は持て余していた気持の荒《すさ》びが鎮《しず》められたやすらぎの中にひたっていた。みちて来るものがあって、えり子のうなじに唇を寄せた。ごく薄い紫の地に、小さな花が無数に染め出された袖《そで》なしのワンピースのウエストを、濃い紫のゴム入りの幅広なベルトが締めている。

新しい流行なのか。だとすれば、金沢に住んでいた敗戦直後の流行が戻って来たのだなと思った。そのウエストの細さが、軽便鉄道の駅で倒れた時のえり子を思い出させた。にわかに、思いが熱くなった。手に力をこめようかと思った時だった。

「ねえ、『高野聖』の道なのに、蛭《ひる》も蛇《へび》もガマ蛙《がえる》もいないのね」

そういって、えり子は顔を上げた。

「しかし、魔性《ましよう》を持った女がここにいるじゃないか」

いいきらぬ中にえり子が叫んだ。

「あ、立山」

振り向くと、のぼって来た道の向うに幾重にも重なる峰をこえて、雪を頂いたままの立山が見えた。

えり子はドアをあけて車を下りた。手をかざして、立山に見入っている。

「ね、下りてごらんなさいな」

都築も下りてみた。窓をあけた。ドア一枚の差なのに、外の世界は音にみちていた。風、谷川、鳥、そして木々の葉ずれ、あらゆるものが、静寂そのものを感じさせる音をたてている。

「光まで音をたてるものなのね」

えり子はそういいながら都築のそばに寄って腕をとった。

「……矢張り、正気ではない私が好きよ」

「僕もそうだね」

「だったら、なぜ叱《しか》らないの」

「気持の食い違いは怒っても元には戻らないものさ。添って来るのを待つしかない」

「……そうね。……添ってる？ 今は」

「ああ」

都築は嘘をついた。真昼の山が、悪戯《いたずら》のように、自分の胸に投げ入れたたかぶりは、そう長く続くものではない。たった今食い違ったばかりだと説明したところで、たかぶり自体が戻って来そうにはなかった。

「ああ、よかった」

そういって、えり子はのぼって行く先を見た。

「ひどい道ね」

「栗《くり》の毬《いが》の上へ赤い線が引っ張ってあるだけなんだ」

「なに、それ？」

「『高野聖』の一節だよ。参謀本部の地図にのっている道のひどさを鏡花はそう書いたんだ」

「そう。栗の毬の上の赤い線ね」

谷を見下ろして、山を見上げた。

「どこへ出るの、この道」

「白川村さ」

「合掌造りの」

「そう。ど真中にね」

「それから」

「白山の北の斜面をスーパー林道で越える」

「山また山ね」

「うん」

「まるで、道行《みちゆき》ね、世話ものの」

「道行？」

「そう」

振り向いた顔は意外なほど明るかった。

「考えても見なかったな、それは」

「私もよ。でも、道行そのものじゃない。行く先が人里はなれた白峰村……」

「でも、世話ものの道行なら、先に待っているのは悲劇だよ。……相対死《あいたいじに》……獄門……」

「それが、ないとはいえなくってよ」

表情の明るさは増しこそすれかげりさえ見せていなかった。

「なんべんもお互いに出しては引っこめ、出しては引っこめしてるじゃない」

「まあな」

「だったら、意外な顔はなさらないで」

笑っている眼に、初めて真剣な光が宿っていた。

えり子が道行といい出したのは確かに意外だった。だが、聞いてみるとそれには納得出来る背景があった。ようやくほぐれて来た口で、えり子はそのことを都築に話して聞かせてくれた。

えり子が小絵を連れて文楽を見に行ったのは二月のことだった。

小絵の見合い話がこじれていた。

阪大の医学部から中出が勤める国立病院に就職して来た長沢辰巳という男を、中出は高く買っていたらしい。大学の三年生の自分に、結婚話は早いという小絵の意見も、小絵に理解を示すえり子の考え方も無視して、中出は話を進めた。しかも、仲介に医長を頼むという熱の入れ方で、一日たてばそれだけ断わりにくくなる強引な話の運び方だった。

一人娘にあり勝ちなことで、小絵は幼い頃《ころ》から父親の意向にそむいたことがない。そのあたりを中出は十分に計算に入れてのことだったが、それが見事に外れた。最初は婉曲《えんきょく》な逃げ方をしていた小絵が、自分の承諾もなしに見合いの日どりをきめられたことで開き直ったのだ。小絵は絶対に出ないといいきり、えり子は断わってもいいのだから、中出の顔だけは潰《つぶ》すなと説得した。

結局、渋々席に出るだけは出たのだが、小絵は頑《がん》として結婚するとはいわなかった。いま時、一流の国立大学を出た養子など、金《かね》の草鞋《わらじ》で探しても見つからないと中出がいえば、国立大学の医学部を出ながら養子に来るような男は腑《ふ》抜けだと小絵がいい返した。経験したこともないような父娘《おやこ》の烈しいやりとりが毎日続いた。

その中ではっきりして来たのは、小絵にキリスト教系の大学で神学を学ぶ恋人がいるということだった。いい争いは更に烈しいものになった。近代科学の先端を行く心臓外科医の娘が、前近代的なことを説く人間に惚《ほ》れるとはなにごとかと中出は罵《ののし》った。

そんな病んだ傲慢《ごうまん》な心を持つ父が、自分を神に仕える小野田幸一に走らせるのだと小絵は泣いた。

えり子は身の置き所がない思いだった。一人きりの娘だけに、思う男のもとに嫁がせてやりたい。自分の身を思い合わせれば、なおのことその思いが増した。だが、神学などという自分の生活の中では思いも及ばぬ世界のことを、あれこれと考えめぐらせばめぐらすほど、えり子は途方にくれてしまうのだった。学ぶ対象は勿論《もちろん》、どう生きて行くのか、その方法さえ、えり子には明確にはつかめない世界のことなのだ。

えり子の眼に、みるみる三人の家にひびが入り、裂け目が拡《ひろ》がって行くのが見えた。いざとなれば捨てる覚悟は出来ている。もともと、守り抜く砦《とりで》ときめて築いて来た実感も薄い。いって見れば、中出に選ばれたことで、自分の居場所が与えられるものならとの考えから出発している。父のない家に育った身で、常に人の眼を眩しく思った自分の娘時代だっただけに、作りにかかった家をえり子は大事にして来た。それがこわれて行きかけている。

仕方なく、情では小絵に味方し、理では中出のいうことがわかるとの立場をとった。そのえり子の分裂が、一家三人の分裂を更に烈しいものにした。中出は小絵が大学を出るまで最終決定を待つという、いかにも苦しまぎれな答えを医長にした。元々が中出から頼んだ話なので、医長はそれを肯定的なものにとって長沢に伝えた。長沢が許婚《いいなずけ》然とした顔で小絵を訪ねて来るようになった。それを許している中出を見て、小絵の反撥《はんぱつ》が一段ときついものになった。えり子は小絵と小野田との仲が急激に進んで行くのに気づいていた。だが、黙って見すごす以外に方法もなかった。娘が女に変って行く様に、中出は全く気づかないようだった。だが、えり子にはそれがはっきり見えた。朝出て行った小絵は、夜には新しい荷を背に負う女として帰って来た。

そんな日々が続いた。えり子に出来るのは、ただ見つめ続け、優しい笑みを見せてやるだけのことで、なにひとつ迂闊《うかつ》に口にすることも出来ない。口にすれば、小絵の傷口が開き、その痛さが骨身にしみるに違いないのが、えり子にはわかっていた。気づきもしない中出を、なん度となくえり子は呪《のろ》わしく思った。総《すべ》ては小絵が自分から選んで決断したことなのだ。だが、その決断が一人娘である小絵の肩の荷を重いものにしていた。

自分には渡りきれなかった橋を、大胆に渡って行くわが子をえり子は羨《うらやま》しくも思い、同時にあわれでもあった。

文楽に誘う気になったのは、そんな日常の中で、しみじみとした母娘の会話がほしくなったからだった。その日は夕食を外ですませて来るように中出にいって、えり子は小絵と大阪まで『大経師昔暦《だいきょうじむかしごよみ》』を見に行った。

いわゆる〝おさん茂兵衛〟の姦通《かんつう》もので、下女のお玉にいい寄る亭主《ていしゅ》をこらしめようとするおさんと、お玉の至情にほだされた茂兵衛とが、思惑《おもわく》違いのからんだ偶然で不義密通の罪に陥って行く物語である。〝おさん茂兵衛〟は、邪恋に追いこまれた男女を描くだけでなく、親と子の情愛を死と背中合わせで見つめる筋立てにもなっている。

えり子は小絵にそこを見てほしかった。自分自身の姿を舞台に重ねて、とことん見つめて見たい気持も、えり子には確かにあった。そして、それらの総てに加えて、なによりも、えり子は思う存分泣きたい気持でいた。

えり子が自分の周囲をこんなにくわしく語ったことは初めてだった。都築は聞きながら打たれた。一年の間にえり子から届いた手紙の一通一通が思い出されるように感じた。

都築は天生峠に建てられた木の道標の前でも一瞬車をとめただけにした。つづら折りに急角度にくだる坂の途中から、白川村の合掌造りの集落が見えて来た時にも、車のスピードを僅《わず》かにゆるめて、えり子に伝説の山の村落を見せただけだった。『高野聖』に描かれた滝は、ああこれがあの滝なのかと、自分の右側に見える滝を横眼に見ただけで通りすぎた。

なにか、都築の心をせかせるものがあった。それがなんであるのか、都築にもつかみきれないでいた。都築にそれがわかったのは、白川村にくだりきって、庄川にかけられた吊橋《つりばし》を車で渡った時だった。

白山スーパー林道にかかる道の途中から左に折れ、白川郷合掌村と名づけられたところに都築は車を入れた。合掌造りの建物が集められている。その一帯を埋めつくすほどのコスモスが咲いて揺れていた。建物が揺らぐ道理もないのだが、眼に入る限りの広さにひろがったコスモスが揺れるために、巨大な屋根を支えてすっくと立った合掌造りの家までが、花の向うに浮き上っているように見えた。

家の内部が小綺麗《こぎれい》な食堂や喫茶コーナーに改造されている店を選び、ソバとコーヒーを頼んだ。夏休みが終り、紅葉の季節にはまだ早いせいか、客は都築とえり子の二人きりだった。

コーヒーをのみながら、えり子は家の外のコスモスに眼をやっていた。昨夜から今朝にかけて、全く失われてしまっていた一種やすらぎに似た表情が戻っている。

「さっきの文楽の話ね」

「うん」

「小絵に見せるつもりが逆に教わったわ」

「なにを」

「西鶴《さいかく》にも同じ題材のものがあるんですって？」

「『好色五人女』の中にね。心ならずも言訳のきかない立場に追いこまれるところまでは、あまり変らないがそのあとが違う」

「どう違うの」

「西鶴の方が人間が生々《なまなま》しい」

「生々しいって？」

「罪をおかした人間たちが居直るんだ。罪の意識よりも、根の深い人間の欲望のとりこになって行く」

えり子は無言だった。しかし、その無言が都築に先をうながしていた。

「人眼をしのんで自分の部屋に男を引き入れる。五百両の金を盗んで男と駈落《かけお》ちをする。その上、人を雇って、偽心中《にせしんじゅう》までして見せるんだよ」

「ひどい女なのね」

「いや、人間らしいんだろうな、西鶴の主人公たちの方が」

「本当？」

答えたえり子は、今聞いたことを嚙《か》みしめ直すような表情を見せた。

「……小絵も同じことをいったのよ」

コスモスを見ていた眼が細められた。そのまま、暫《しば》らく風にそよぐコスモスをえり子は見続けていた。そしてゆっくり都築の方に振り向いた。

「あなたはどっちのおさんが好きなの」

「近松のものは人形のための舞台脚本だからね、ドラマとしては上手《うま》く作ってある。おさんの苦しむ姿も美しい」

「そんなこと聞いてないわ……どっちが好きなの？」

「西鶴のおさんだね」

「なぜ。……そんなことまでする女を」

「血が通《かよ》ってるからさ。……それに、いたずら心も、悪巧みも、いかにも女らしい。おさんは可愛い女なんだ。男の腕の中でも」

横顔にほんのりと赤いものがさした。

「え？　……そんなことまで書いてあるの」

「ある」

「どんな描写なの」

「いわすのかい、僕に」

「……教えて下さい」

言葉が妙に固かった。

「最初の間違いのあとで、おさんは男が寝床を出て行くことにも気がつかない。ふと眼をさますと、枕《まくら》は外れているし、帯はどこかに行ってしまっている。しかも、枕もとに紙は散っている」

「ま」

いうなり、えり子は立つと、そのまま振り返りもせずに店を出て行ってしまった。

都築が勘定をすませて外に出ると、背丈を越す揺れるコスモスの中にえり子が立っていた。合掌造りの家同様にえり子も揺れて見えた。都築が近づいて来るのを待って、えり子はその顔にはっきりと眼を向けた。

「そのあとの、おさんの気持は書いてないの」

「ある」

「どんなふうに」

「……こんなことが人に知れないでいるわけがない。こうなったからにはもうどうなってもいい。命の続く限り浮名を立てて男と死ねばいいんだ……」

「……そう。……小絵がね、こういうのよ。最近のお母さんはなぜそんなに女っぽくて可愛いの。おさんの人形にお母さんが重なって見えて仕方がなかった……って」

「文楽を見に行った日のことかい」

「そうなの」

答えて、えり子は次々に心に浮かぶことをまとめているかのようにコスモスの中を歩いた。その足が止って、都築の顔を見た。

「昨夜、八尾に来たのは、矢張り小絵なのよ、きっと」

山から吹き下りて来た風が、あたり一面のコスモスの中を吹き過ぎて通った。えり子の顔が見えがくれするほど、コスモスの花がゆれてそよいだ。

白山スーパー林道は眼前に近々と迫る絶壁の間を縫うように走っている。どうしてこんなところに道がつけられたのかと思うほど、難所から難所を道がすりぬけて行く。その道が登りつめて、下りきると、名代の荒れ川手取川にぶつかる。

眺望《ちょうぼう》はやや開けて来るが、白峰村への道はまたそこから登り始める。夏が終りかけている九月の手取川の水量は少い。巨大な石が無数に散る河原の間に、荒れ川とは思えぬ細い水量の白い帯が流れていた。川の対岸に迫る山と河原の間に、いくつかの集落が点在する道が二十キロ近く続く。そして、満々たる水を湛《たた》え、今はその底に集落ひとつをまるまる沈めている手取ダムを過ぎると、川岸に石を積み上げ、山裾《やますそ》に肩を寄せ合うように家が建ち並ぶ白峰村が見えて来る。

白峰村の宿はえり子が予約してあった。案内された部屋は八尾よりも深い谷川に面していた。八尾は山地が平野にくだるその境にある町だが、白峰は白山山頂を間近に見る山あいの村なのだ。

V字型にきれこんだ谷底の、僅かの平地に作られた集落には、なん度となく水が襲った。その村の半ばはダムの底に沈んでしまった。そして、現在残る互いに近々と建てられた家並は、長い冬と深い雪の様を思わせて、山に生きる人々の生きる厳しさを人の胸にまざまざと伝えて来る。

宿について間もなく、三十がらみの女がえり子を訪ねて来た。永吉広美《ながよしひろみ》というその女は、細々と続いていた牛首紬《うしくびつむぎ》を再興した北山産業切っての織り手の一人だという。都築はえり子にそう紹介されたが、信じ難い思いがした。いかにも若すぎるのだ。

白峰は長い歴史を山に生きた人々の住む場所で、冬場に男たちの仕事はなくなる。そのため、養蚕、製糸、紬織りなどが長く続く冬の女の仕事になった。

「女たちが世間話をしながら、雪あかりで機《はた》を織ったというんです」

広美は説明してくれたが、若さの持つ明るさが、牛首紬の由来にいかにもそぐわない。

「針金生糸《はりがねいと》という言葉を御存知ですか」

広美は明るさを湛えた表情で二人に聞いた。

「いいえ」

えり子が答えた。

「日本の絹糸に人気が出て、横浜から沢山の糸が輸出された時、大部分の生糸は針金のように真直だったんです。だから針金生糸。でも、ここのは違いました」

「どう」

「玉繭《たままゆ》といって、二匹の蚕が作る繭を使って手でよりをかけますから、天然のカールが出るんです。それが牛首の生糸が横浜で高く買われた理由で、紬に織り上げても独特の風合いになります」

広美の説明に都築は興味を持った。

「では、結城《ゆうき》や大島のように有名にならないのはなぜなんです」

「有名だったんですよ。着物の玄人《くろうと》の間では」

「ほーう」

「京都の呉服屋さんでは、牛首の羽織を着られるようになったら一人前といわれた時代がありました。でも、ここでは、男の人が糸にも機にも全然手を出しませんから」

「つまり、規模が小さい」

「ええ。旦那《だんな》さんなんか背の丈《たけ》がおありだからお似合いですけど」

「ま、僕《ぼく》のことはいいから、この人の方を」

都築は話を本題に引き戻《もど》した。

「はい」

広美はそう答えてえり子の方に向き直った。

「社長さんに、お電話で、なんか特別な御注文があるとおっしゃったとか」

「ええ、糸染めの絣で、文字が織り出せますか」

「染めでなく」

「そうなの」

「沢山ですか」

「いいえ、平仮名で三字」

「ああ、そのくらいのことなら。で、なんと織るんですか」

えり子は心もち間《ま》をもった。やがて、開いた唇《くちびる》からひとつひとつに区切った音が出た。

「……う、つ、つ」

都築は思わず煙草《たばこ》に火をつけようとした手をとめて、えり子の顔を見やった。表情は動いていない。とうに、そうきめていたという平静な顔だった。

「うつつ……」

広美はえり子の言葉を繰返した。

「そう」

「どこに、その字を」

「左の胸。二字目のつの書き終りが、お乳の下にかかるくらいに」

「……あの……それ」

広美はいい淀《よど》んだ。顔からも先ほどの明るさは消えてしまっている。

「もしかして、喪服では……」

「そうよ」

「自信ありません」

「どうして」

「なんだか、恐《こわ》い」

「あら、舞台で踊るための衣裳よ」

「あ」

すとんと音がしそうに、広美の固い肩が落ちた。

「良かった」

「どうしたの」

広美はさきほどまで見せていた濁りのない顔で笑っていた。

「私って、馬鹿《ばか》みたい。なぜか知らないけど、咄嗟《とっさ》に、心中なんてこと考えたんです。馬鹿みたい。……お乳の下に、刃物が刺さりそうな。……御免なさい。素敵な御夫婦なのに」

都築は手に持ったまま忘れていた煙草に火をつけた。

「この字のように織って頂きたいの」

えり子はバッグから一枚の写真を出して見せた。見るまでもなく、八尾の家にかけられた〝夢、幻〟とひと組で書かれた字だった。

「地色は淡いグレー、ほんの少しブルーに寄ってもいいわ。文字は墨の色のような黒々とした黒」

それからの打ち合わせはとんとんと進んだ。

広美は帰る時に、いま、すぐ、もう一度戻って来ますといって部屋を出た。言葉通り、すぐに戻って来た広美は、荒縄でしばった重箱ほどの白いものを下げていた。

「これ持って来たんです。あとで夕御飯の時に召し上って下さい」

「なに、それ」

「お豆腐です。白峰の」

「お豆腐？」

「はい、美味《おい》しいんです」

広美は荒縄ごとその豆腐を揺すって見せた。

「……驚いたわ」

「私の織る紬も、これくらい丈夫なんです。ですから、舞台が終ったら、少々派手目な色をかけて着て下さいね。奥さんなら、どんな色でも似合います。地色、あとで色をかけることを考えて染めて置きますから。じゃ、御免下さい」

広美はもう一度荒縄で縛った豆腐を揺すって見せると、入口の襖《ふすま》をしめた。

入れ代りに女中が風呂《ふろ》をすすめに来た。他《ほか》に客は全くないし、湯の量が溢《あふ》れるほどの露天風呂なので、遠慮なく一緒に手足をのばしてくれ、女中はそういった。案内するつもりなのだろう。膝《ひざ》をついたままで女中は待っている。都築は迷った。

「あなた、参りましょう」

部屋の乱れ箱に置いてあった二枚の浴衣《ゆかた》を持って立ち上ったのは、えり子の方だった。都築は幾分とまどう気持でついて行った。八尾で過した日々の中で、枕を並べていたとはいえ、明るい光の下で愛し合ったこともなければ、風呂に一緒に入ったこともない。えり子がつとめて自分の体の線を見せまいとしていることは感じていた。それだけに、強《し》いなかった。だが、今夜のえり子はどこかが違っているらしい。

さすがに、えり子は都築の眼の前で服をぬごうとはしなかった。

「あなた、先に入っていて下さい」

女中が戻って行くと、有無《うむ》をいわせぬ口調でそういった。

都築が岩で組まれた浴槽《よくそう》にもたれて身を沈ませていると、脱衣場の屋根から投げられていた三本のスポット・ライトが消えた。

「滝の音なの?」

洗い場に出て来たえり子は聞いた。

「いや、眼の下の川だ」

星明りの中でえり子が身を沈めるのが見えた。

「こっちへおいで」

えり子は素直に近づいて来た。

「川は八尾の家よりも遠いんでしょう」

「うん、大分谷が深い」

「なのに、どうしてこんなに」

「二日続いた雨のせいだろう。それにダムの上流だから」

「流れがきついの？」

えり子は上半身を浴槽から乗り出すようにして見た。

「凄《すご》いわ。眼がくらむ。それに、なにもかも押し流しそうな濁流よ」

湯に沈もうとするえり子の両腋《りょうわき》を掌《てのひら》で受け、都築は湯の中に立ち上らせた。

「……なにを……」

声に脅《おび》えがあったが、えり子は逆らおうとはしなかった。

「駄目《だめ》」

胸にあてていたタオルをとろうとした時にも、言葉ではそういったが、都築にされるままになった。空の星明りだけだが、深い山あいだけに、夜の暗さからは程遠い。白々と輝やいているえり子の体は美しかった。

「もう、いいでしょう」

いわれて気づくと、えり子は固く眼を閉じていた。都築は肩を抱き寄せて湯に沈んだ。

「残酷なことをするのね」

「いいや、こんなに綺麗な体でいるとは思わなかったよ」

「嘘《うそ》つきよ、あなたは」

「いや、嘘つきなら、君だ」

「あ、あの喪服のこと？」

音をたてるように眼を開いた。

「あれは、われながらうまかったわ」

「それもそうだが、としはどこに置き忘れて来たんだ。二字目のつの字の下を突けといわれても、僕にはこんな綺麗な胸は突けない」

えり子は含み笑いを洩《も》らした。

「なんだい」

「意気地なしね」

「ああ意気地なしだ」

「そんな男を選ぶと、女は強くなるのよ」

「……どんな意味だい」

「あの部屋の机の引出しには、沢山睡眠薬がしまってあるわ、二人分の……六十錠。この一年、不眠症に苦しんだふりをして、中出から貰《もら》って貯《た》めたの。今は滅多に手に入らない薬よ。死ぬんなら、私を胸に抱いたままにして」

えり子は自分から胸を寄せて来た。

「……さっき、聞き残したの。……ね、西鶴のおさんはどうなるの」

それは聞かれたくないことだった。結末が近松とは違う。沈黙の意味をえり子は察したようだった。

「……じゃ、やはり……」

「うん。京の町を引廻しの上で獄門……」

「……私は、……やはり、そっちのおさんだわ……」

えり子の口から吐息が洩れた。

「……抱いて」

呟《つぶや》きに近い声でいうと、えり子は身を寄せて来た。その体を抱きとめたものの、都築は胸の中に抱えこむようにしただけだった。えり子が烈《はげ》しく首を振った。

「いやよ。そのおさんにして頂戴《ちょうだい》、私を。……お願い、この星の下で、この川の音の中で」

胸にすり寄せた顔を離すと、えり子は都築を見上げた。都築の見返す眼を犇《ひし》と見つめ続けるえり子の眼には、燃えるものが秘《ひそ》んで揺れていた。眼が、必死の叫び声を上げていた。


その夜、床に入ってから、都築は庄川の吊橋を渡る時に自分の胸に訪れたある納得のようなものをえり子にただして見た。

「泣きたいから文楽に行ったといったね」

「ええ」

「おさん茂兵衛を見るのは初めてじゃないんだろう」

「ええ、文楽だけでなく、芝居でもなん度か」

「見る気になったのは、近松の作品では、獄門にかけられる前に助けが入るからじゃないのかい」

えり子は答えなかった。

「助けられるとわかっていたからじゃないのかい」

えり子はまだ答えなかった。都築はその話題はそれきりにしようと思った。その時、えり子が身じろぎする音が聞え、同時に、その体が胸の中にとびこんで来た。

「私だって、女よ。女だから……いつまでも、こうして抱いてほしいの。……ただ、自分にいい聞かせているだけよ。……終りがあるんだ。いつかはそれが来るんだってことを。……ね、これ以上、私って人間を知ってどうなるの。……なにがうまれるの」

えり子は引きはがすように都築の浴衣の胸を押しひろげて、自分の頰《ほお》を寄せた。

翌朝、鶴来《つるぎ》から金沢に下りる予定を都築は変えた。白山の西を福井県の大野市に下り、平野部を横断し、越前海岸に出た。

朝起きた時に、えり子は熱っぽさを訴えた。

「一昨日の雨と……それから昨夜。……疲れたのよ」

えり子はそういって、さして気にした様子も見せなかった。北陸に生れながら、えり子は越前海岸を車で走ったことがないという。道が曲る度に景色の変る海岸線の美しさに、えり子は声を上げ続けていたが、敦賀《つるが》湾が見え始める頃には大分疲れたようだった。

杉津《すいづ》という町で、都築は国道からそれて山に入った。

「どこへ行くの」

えり子はそう聞いたままで、ぐったりと背もたれに体を寄せていた。細い山道をやしばらく登ると、北陸自動車道のパーキング・エリアの真下に出る。都築は畑のように整地された雑草の原に車を乗り入れて止めた。

「まあ」

えり子は歎声を上げた。一時に元気を取り戻したように見えた。

杉津の小さな岬《みさき》をとり囲むように耕地が広がっている。その向うに静かな敦賀湾がひらけ、湾を囲みこむ反対側の岬が近々と見えた。

「いつか見た景色だと思わないかい」

「……ええ」

えり子は記憶の糸を手繰り寄せているように思えた。

「まさか……でも……」

「そう、その、まさかだよ」

「じゃ、昔の北陸線の杉津駅の跡なの」

「そうだよ。あそこを見てごらん」

都築は右手の山はだに口をあけたトンネルを指した。

「じゃ、あれが、スイッチ・バックで今庄《いまじょう》にのぼって行った、あの鼻の穴が真黒になるトンネルなの」

「線路のあとをそのまま道にしたらしい。トンネルを五つ六つ抜けると、今でも嘘のように簡単に今庄に出られる」

「どうして御存知なの、そんなこと」

「君と同じさ。北陸トンネルが出来てから溜息《ためいき》が出るほど美しかった杉津駅からの眺《なが》めがなくなった。それで、ある時敦賀でレンタカーを借りて探して見たんだよ」

「そうなの。……私も杉津に列車がとまる度に、この世にこんなに美しい眺めがあるものかと思って見とれたものだわ。あなたもそうだったのね」

「ああ、多分、君も覚えてるんじゃないかと思っていたよ。いつか、連れて来て、ここから海を眺めるような気もしていたんだ」

「そう」

都築が車のレバーに置いている手に、えり子は自分の手を重ねた。

「嘘のようね」

「なにが」

「ここにこうしていることが」

えり子の溜息のような声だった。

「嘘じゃないさ。なにもかもがこうなるようになっていたんだ、きっと」

都築はそういうと、車を後退させて元の道に出た。そして、車の向きを変えた。正面に蒲鉾《かまぼこ》型の真黒なトンネルの口が見え、組み上げられた煉瓦《れんが》は、煤《すす》に染められていた。

「どうするの」

えり子が聞いた。都築は答えずに、レバーをドライヴの位置に入れ、えり子の肩を抱き寄せた。

「戻《もど》って行ってみよう」

「え、どこへ」

えり子の聞き返す声は、都築の鳴らすクラクションの音に消された。

ライトをつけ、車を乗り入れると、えり子が抱かれた肩を寄せて来た。闇《やみ》が一時に二人を押し包んだ。車輪が道にしたたってたまっていた水をはね上げた。同時に、驟《しゅう》雨《う》の前ぶれに似た無数の水滴がフロント・グラスを叩《たた》いた。ワイパーがかき分ける眼の前の世界には、煤と闇がアーチ状にひろがり、その中を切り裂くようにライトのビームが走り、宙に浮いていた。だが、そのビームも頼りなげに届く先で闇にのまれてしまっている。

ライトの中に落ちかけている水滴が、途中で方向を変えては、眼の前にとび込んで来るように思えた。都築が鳴らすクラクションが烈しい反響を伴って闇と光の中を走りぬけた。都築は短い間を置いて、クラクションを鳴らし続けた。線路だった場所に簡易舗装を敷いただけの道である。列車一輛《いちりょう》分の幅では、二台の車はすれ違えない。車が闇の中から走りぬけて来ることを、反対方向から来る車にしらせなければ危険すぎる。

長い闇の向うに、突然、トンネルの形なりの光が見えた。曲っていたトンネルが直線で出口につながる個所に出たのだ。光は見る間に近づいて来た。

走りぬけると同時に、右側の薄《すすき》の穂が窓を叩いた。チラと眼を走らせると、薄の穂波のひろがりは、断崖《だんがい》になって敦賀湾に落ちこんでいる。

それを眼の端に見たと思うより早く、次のトンネルが待っていた。水滴がまた一時に襲いかかって来た。都築はクラクションを鳴らした。今度のトンネルは短い。出口が向うに見えている。

だが、直線で見通せる出口の向うに、また、黒々としたトンネルの入口があるのが見えた。

二人の車が光の世界に戻ったのは、ほんの一瞬のことだった。闇がまた二人を待っていた。三つ、四つとトンネルを走りぬけた。その度に、光の世界と闇の世界が入れ代った。めまぐるしいその交替が、永遠に続くかと思えるほどの闇の長さにつながった。

「長いのね」

「ああ」

「本当、戻って行くわ」

「え？」

「私たちが戻って行くわ」

「どこへ」

「昔の私たちへ引き戻されて行くわ」

都築も同じことを感じていた。トンネルの長さに、思わず不安になって、クラクションを鳴らした。同時に、豆粒ほどの出口の光が見えた。

走り出ると、そこに山あいの秋が待っていた。

右側からは薄に覆《おお》われた山裾《やますそ》が迫り、道の左側は川ぞいのゆるやかな谷に落ちこんでいる。谷の向うは優しげな斜面で登る山につながっていて、僅《わず》かばかりの畑のふちに立つ一本の柿《かき》の木が見えた。

どんな種類の柿なのか、まだ去りやらない晩夏の世界の中で、たわわに枝についた小粒な実が、かすかな色づきを見せていた。その周囲にたちこめて来る夕色のありかを示すように、藁《わら》を燃やす煙の紫が地を這《は》って流れている。

「どこにいるの、私たち」

「故里《ふるさと》だよ」

「ああ、そうね、そうだったのね」

車の行手の右側に、一軒の寺を囲む小さな集落が見えて来た。なにが、どう、よその場所と変っているわけではない。だが、そのたたずまいがいかにも人を安堵《あんど》させる。

えり子は車の後ろに遠のいて行く寺と集落を振り向いて見た。

「引き戻されるだけじゃないわ。なにかが戻って来るわ、胸の中に」

そういう声に、いいつくせないほどのやすらぎがこもっていた。

都築は今庄の町に入ったところで車を止めた。丁度、中央の辺で、くの字に曲る北陸道の道沿いに、奥行の浅い家並の重なりがのびているだけの町である。

今庄は越後の高田と並べられるほど雪が深い。二人が学生だった頃《ころ》、ラッセル車が雪をかいたあとを、杉津を出た列車は喘《あえ》ぎながら今庄へ登った。通って来たジグザグのスイッチ・バックの登りの嶮《けわ》しさに、機関車がひと息入れるような蒸気の音をひびかせて休んでいる時、重い雪をのせた屋根の連なりが、手の届く近さに見えたものだった。

その家々が昔から殆《ほとん》ど変っていない姿で二人の眼の前にあった。庇《ひさし》を深く出し、奥に引き込んだように細かい格子《こうし》を打った窓があって、その前に大きな球形に作り上げられた杉《すぎ》の葉が下げられていた。代々続いた造り酒屋なのだろう、字も読みとれないほど古びた一枚板の巨大な彫り看板が入口に掲げられている。

店先に、ビールを二ダース入れるプラスティックの器が投げ出されていた。その黄色が店先にも町にもそぐわない。未来人が途方もない悪さでもしたように異質なのだ。それに眼をやっていたえり子が呟いた。

「せつないわ」

「なにがだい」

「私たちがあの器になったみたい。この町や、ここに似合う時間になんか、もう戻れっこないのに」

えり子は眼を閉じた。そうしていれば、プラスティックの毒々しい黄色を、この世界から消し去ることが出来ると思っているような横顔だった。

来た道をゆっくりと戻って、都築はもう一度車を雑草の原に入れた。

夕暮にかかった海も空も赤く染まり始め、対岸の岬の上空に流れたひと筋の秋の雲間から、斜光の落日が湾の水に光を投げていた。敦賀をめざす船なのだろう。その斜光の海に航跡を大きくひろげていた。逆光になるせいで、航跡の通りに、無数の光点が輝やいては消える。

えり子は車を下りて崖《がけ》の端まで歩いて行った。都築がついて行き、足をとめると、光の乱舞の舞台だった海と空は、刻一刻と色を変える色彩の舞に変っていた。

「なんだか、長い長い旅をして来たような気持よ」

「旅なのさ」

「そう」

「君を昔の時間の中に連れ戻したかったんだから」

「だったら狙《ねら》い通りになったわ。私の頭の中では、過去と現在が入りまじってしまっているわ」

「そのままの気持で聞いてほしいんだが」

「ええ」

「……ひとつ、提案がある」

声にこめられた真剣さを感じとったらしい。えり子は無言で都築を見た。

「昨夜、なぜおさん茂兵衛を見たのかと聞いた時、意地の悪いことを聞くと思っただろう」

「……ええ」

「君が救われることを求めているのなら、このまま、ここに住んでもいいんだよ」

「え？」

都築の真意が計りかねたようだった。

「八尾の家を売って、ここに小さな小屋を建てる。こんな山の中なら、売った金の半分は残るだろう。今、僕《ぼく》が持っている貯金を足せば、五年や六年は生きられる。先のことはその間に考えればいい」

「……そんな、夢みたいなこと」

信じられないという顔でえり子は首をふった。

「夢というなら、なにもかも夢じゃないのか。八尾も幻じゃないのか」

「だから、うつつは喪服の中にとじこめました」

都築を見据《みす》えるような眼だった。

「僕にとって戻りたい場所は八尾だった。……ひっそりと住むのなら、この杉津と思って来ていたんだ。……僕は真剣だよ。条件はただひとつだ。僕が生きたいように生きさせてくれ」

「畳を拭《ふ》けというのね」

「そう」

「人の痛みを受けとめる生き方をわかれというのね」

「そう」

「出来ないわ」

「なぜ」

「なぜ、そんなに優しいの。優しすぎるわよ。御自分を全部殺してるじゃないの。私が望んでいるままじゃないの。あなたのうしろに、一体なにがあるというの。そこまでしなきゃいけないなにがあるというの」

「なにもないさ。……ただ、疲れたんだよ。……これは掛値《かけね》なしの本音だ。好きな女と、好きなように暮せるのなら、今、投げ出して惜しいものはひとつもない。先の見通しもなしに、つき動かされるように始まったことでも、真実じゃないのか、……今は。だから、君はせめて救われる芝居でも見たいと思ったりするんだろう」

「しいちゃんはどうなるの」

「一、二年は探すかも知れない。でも、健気《けなげ》に生きるにきまってるさ」

「中出は」

「十分に強いじゃないか」

「仕事はどうするの」

「惜しむほどのものはなんにも残っちゃいないよ」

「……今日、今からというのね」

「そうだ、今から」

「……考えさせて下さい」

えり子は車に戻ると、座席の背をやや倒して眼を閉じた。都築は黙って待ち続けた。火照《ほて》りが増したように見える頬の赤さが、やがて夕闇の中に沈んだ。いつの間にか、敦賀湾はなにを釣《つ》る船か、漁火《いさりび》の海に変っていた。真黒な海のそこここに燃え上る漁火が水に映って揺れる。船と船がトランシーバーで呼び交《か》わす声なのだろう。話の内容は聞きとれないが、声が木魂《こだま》を伴って耳に届いて来た。

「……御免なさい。矢張り出来ないわ」

えり子の声がした。都築はルーム・ライトをつけた。小さな灯《あか》りだが、えり子の眼が充血してうるんでいるのが見えた。

「……そうか」

「……また、正気に戻っているとはいわないでね。でも、今、私がいなくなったら、中出に押されて、小絵は私と同じ道を歩くわ」

「……それはわかる。でも、君は京都の家に帰れるのかい。……もし、一昨日の晩に君が見たのが、本当に娘だったとしたら……」

「それも考えました。でも、それは私と中出とですむ問題です」

「……わかった」

「変ね。それは、ちっとも、こわくはないのよ。行き場所がなくなったら、あの八尾の家に一人で住むわ」

都築は黙って車のエンジンをかけた。

「もうひとつわがままをいうわ。聞いて頂戴《ちょうだい》。……熱が出たの。あの雨のせいね。扁《へん》桃腺《とうせん》に来てるわ。……次は、腎臓《じんぞう》。……いつものパターンよ。早く、汽車に乗せて」

「医者に行かなくてもいいのかい」

「医者は京都の家にいるわ。……こんな患者を長年診《み》て来ている医者が」

都築は敦賀から高速道路に乗ると、京都までそのまま走った。

えり子の家は山科《やましな》の静かな住宅地の中にあった。昔の孟宗林《もうそうりん》のあとなのだろう。あちこちに葉を繁《しげ》らせた孟宗竹が見えた。

「とめて下さい。あの角の家です」

えり子が指した白塗りの南欧風の家には、ひどく背の高い辛夷《こぶし》の木が植えられていた。ひと眼見ただけでも、五年や十年の樹齢ではない。えり子がこの木を植えて、春を待った年数の重さが身にしみた。

えり子は車を下りると、窓ごしにいった。

「……来年。……病気をしないでね。……来年の風の盆までには、小絵の問題を片づけて置きます。もし、その時、まだ、あなたの心が優しいままでいたら、杉津に小さな家を建てて下さい」

車の窓から、自分の体をひきはがすようにして、えり子は家の方に歩き出した。高熱のせいだろう。足もとが頼りなかった。だが、見送っている都築の眼に、門の鉄扉《とびら》をあける時、えり子の背が真直《まっすぐ》にのびるのが見えた。

盆の章

その翌年、都築《つづき》は誰《だれ》にもいえない問題を抱えて八尾《やつお》の駅を下りた。

一年間、えり子からは一本の手紙も届かなかったし、一度の電話もかからなかった。なにか不気味なことが進行しているようにも思えたが、思いめぐらせばめぐらすほど、都築の方からの電話はかけにくかった。手紙はなおさらのことだった。あの晩にえり子が見たのが、本当に小絵であったとすれば、誰の手に入るか先の保証のない手紙は書けない。

都築はただ九月を待った。

七月半ばに、新聞社にとめからの電話がかかった。主人の母方の在所に祝言《しゅうげん》があって、それが欠かせないので、今年だけは三日まで諏訪町《すわまち》の家に行けないというとめの話だった。家に風を通して置くし、夜具もほして置く、とめはそういったあとにつけ加えた。

「もう、私などおらんでもいいがんないかと思うとるがですけど。この家のぬしみたいになってしもうて」

とめは電話の向うで笑い声を上げた。

「ま、奥さんが旦那《だんな》さんより先に来まさるにきまっとるさかい、心配はなあんもないがですけど」

そういってとめは電話を切った。

八尾の駅に下りて、坂を上り出すと、都築には家までの道がひどく近いものに感じられた。妙なことだと、自分の胸の中をのぞきこむようにしてみると、心の底のどこかに、なぜか家につきたくないと思っている自分が秘《ひそ》んでいることに気づいた。なにか、見たくないものが待っている、そんな気がした。とめがいないとわかっているせいかと考えてみた。でも、それは違う。とめはいなくても、えり子がいるはずなのだ。都築は自分を励ますようにして坂の町を上って行った。諏訪町の家の前には酔芙蓉《すいふよう》の花が一輪も咲いていなかった。いやな思いが増した。

北陸では余程のことがない限り雨戸をしめない。雨戸さえない家が多いのだ。下も二階も、去年と違ってガラス戸がしまったままだった。

〝矢張り……〟

胸にわだかまっていた思いが、そのまま現実になって行くような、いやなものを消しきれない中に、自分の手が玄関の戸にかかった。玄関の錠は固く閉ざされていた。

九月一日の夜、都築はとめが仕かけて置いてくれた電気釜《がま》の飯を炊《た》いて、梅干で一人きりの夕食をのみ下した。電話はチリとも鳴らなかった。杏里《アンリ》も訪ねては来なかった。

泳ぐように危い足もとで、自分の家の門に近づいて行ったえり子の姿が、なん度となく思い出された。その度に、まさかという思いが襲って来る。それを打ち消すことが出来るのは、一瞬だけ都築が見た、しゃんとのびたえり子の背筋の思い出しかない。都築は幾度かその背筋を思いうかべて時を過した。

最終の列車が八尾について、一時間すぎた時、都築は自分の夜具を二階から下ろした。電話は玄関脇《わき》の座敷にひいてある。夜具を電話の脇に敷いて、都築は横になると本を開いた。眼は全く字の上を滑ってしまう。

〝まさか〟

という思いで、起き直ると、二階の奥の八畳に上って見た。机の引出しをあけると、国立病院の名が刷りこまれた封筒が眼に入った。十錠ずつケースにおさめられた白い錠剤が六十個入れられていた。

少くとも、えり子が一人でこの家に来て、薬を用いなければならないようなことはなかったらしい。ある安堵に似たものを都築は感じたが、だからといって、今、自分が置かれている状態がなにも変ったわけではない。一度下の六畳に戻《もど》り、また、思い直し、都築は八畳に上って行った。そして、一錠だけ薬をとり出してのんだ。睡眠薬に類するものを、都築は使ったことがないせいか、皮肉なほどやすらかな眠りが来た。十時間近くもぐっすりと眠って、眼がさめたのが十時半だった。えり子が来るとしても、こんなに早い時間のはずがない。そうは思いながらも、起きずにはいられなかった。

起き上ろうとした時、立ちくらみが来て、思わず蒲団《ふとん》に手をついた。常々の寝起きの悪さのせいだと思おうとした。使ったこともない睡眠薬のせいだと考えようともした。だが、そうではないことを、誰よりも都築が一番良く知っていた。

〝えり子は来ずに、待ってもいないお前の方が俺《おれ》に追いついて来たのか〟

思いはどうしてもそこに走った。

三月の初旬のことだった。都築は季節にしては遅すぎる風邪をひいた。扁桃腺をひどくやられて、えり子からうつったにしては、やけに症状の出るのが遅いと自分で苦笑したが、一向に好転しない。蒲団をかぶって汗でもかけば治るだろうと、一日、二日勤めを休むつもりでいたのが、立てるようになるまでに十日かかった。

「鬼の霍乱《かくらん》ですね」

久しぶりに社に出ると、会う人ごとにそうひやかされて、都築は苦笑した。その日の午後の部長会に出るつもりで、机から立ち上ったところで、ぷっつりと意識が絶えた。あとで聞くと、衆人環視の中で倒れたのだという。

志津江に引きずられるようにして、親しくしている医者に診て貰《もら》った。

「血液を調べましょう」

医者はそういって血液をとったが、三日後にもう一度行くと、どことなく態度がおかしかった。

「ひどい貧血ですね」

「貧血」

「ええ、血小板が可成り減っています。白血球や赤血球も……」

「といいますと……どのくらい」

都築は原爆が原因の白血病を海外にしらせる記事を書いたことがあって、血液の病気に関しては幾分の知識があった。

「そんな細かな数のことなどは、患者が知らなくてもいいのです。ま、私にまかせて置きなさい」

医者はとり合わなかったが、そのとりつくろったような豪快さが、却《かえ》って都築に疑問を持たせた。

翌日、都築は親しくしている医学部出身の科学部の記者を近くの喫茶店に誘い出した。巧みにこしらえた都築の話に、記者は不用意にのった。

「そんなケースで一番心配しなきゃいけないのは、再生不良性貧血です」

「なんだいそりゃ」

「原因がほとんどわからない難病で、四十代、五十代で突然出て来ます。要するに骨髄が血液を作らなくなるんです。血小板が減るから出血がとまらない。白血球が減るせいで、感染症に弱くなる。めまい、立ちくらみがする」

「治療法は」

「輸血が一番です。それも新しい血液の方がいい」

「なぜだ」

「保存血液は血小板が少いからです。もうひとつの問題は輸血から来る血清肝炎、肺炎などで、白血球がもともと少いので抵抗力がない。AB型の人間がかかったりしたら悲劇ですね。日本の人口の十パーセントしかいないんですから」

都築はAB型だった。

「で、どの位もつんだ、命は」

「様々ですが、命とりは感染症です」

「最悪のケースでは」

「不良性より悪い不能性というのがありまして……ま、半年から一年」

都築はこの記者から聞き出した血小板、白血球、赤血球の数を上げて、医者に聞いた。医者は視線をそらしたまま答えなかった。

もう一度梅干だけの飯を食う気にはなれず、都築は表に出た。玄関は開けたままにしておいたが、えり子が来た様子はなかった。二つ買って来た寿司折《すしおり》で昼食も夕食もすませた。おわらの音も、水音も耳に入らぬ時間が過ぎた。電話が鳴ったのは八時だった。

「もしもし」

声に期待をこめた。

「部長ですか」

返って来たのは、聞きなれている先任の次長の声だった。また、不吉な予感が走った。

「なにかあったのか」

「おしらせしておいた方がいいと思いまして」

そういって、暫《しばら》く間を置いた。

「山田の奥さんが死にました」

ベイルート特派員の新婚の妻である。

「もう、頑張《がんば》りきれないと遺書を残して。乳飲児も一緒です。可哀相なことをするもんです」

どんな死に方かを聞く気にはなれなかった。次長も都築の心を思いやるようにそれ以上はいわなかった。

「すまんが、僕の名で十万円の香奠《こうでん》を包んでくれ」

そういって電話を切った。待っていたように、玄関の戸があいた。振り向くと、自分の眼を疑いたくなるような人間がそこに立っていた。

嘘《うそ》だ、これは。自分は夢を見ているに違いない。都築はそう思った。三十年の歳月が、瞬時に逆に走ったような気がした。瞬《また》きを繰返した。だが、自分の見た幻に近い像は消えない。それが消しようのない現実だとわかった時、都築は五体から力の失せて行く自分を引き立てるようにして立ち上った。そして、玄関までの短い距離を漸《ようや》くの思いで歩いた。

純白のワンピースに、真赤《まっか》なベルトだけがアクセントの、金石《かないわ》に通った頃のえり子そのままの若い娘だった。小絵に相違ない。様々の思いが走ったが、全く言葉にはならなかった。都築は無理に言葉を押し出すようにしていった。

「小絵さんだね」

「……母は死にました。……今年の五月に。……そのことをおしらせに」

水をのみ下すような納得が来た。都築はうなずいた。

「どうぞ」

座敷の方を小絵に指し示した。

「いえ、ここで失礼します。……申し上げたかったのは、ここ一、二年の過ち以外、母は幸せだったということです」

「……過ち」

思わずそういい返した。

「そうです。でも、最期《さいご》の時は、昔の母に戻ってくれました。父の手を握って死にましたから」

それも水のようにのみ下した。ただ、一つ聞きたいことがあった。

「君はなぜ、この家を」

「初めての年、八尾から戻った母を見ていて、おかしいなと思ったんです。で、父にも内緒で私が調べさせました」

「では、……去年……」

「信じられなくて、自分で来てみました。……あなたという方はひどいわ。あんなとしの母を誘惑して」

それは違うという気にはなれなかった。説明のしようもない無力感の方が大きい。

「……でも、父は寛大で、母を許しました」

それは今となってはどうでもいいことだった。都築はただうなずいた。

「近く、私は父の選んでくれた人と結婚します」

「それはいけない。自分と同じ道を歩くことになる、お母さんはそういってた」

「どうかしていた母のいうことなど……。それに、お指図を受ける筋合でもありません」

小絵は浴せるようにいうと身をひるがえした。閉じられた玄関を開けようとたたきに下りた時、都築は倒れた。

どのくらい意識を失っていたのか、気がついた時には、夜流しのおわらが家の前を通りながら歌っていた。ようやく式台に腰を下ろして、都築は今年初めてしみじみと胡弓《こきゆう》の音《ね》を聞いた。哀調が今更のように身にしみた。

えり子の死を改めて嚙《か》みしめた。死が訪れて来る時に、側《そば》にいてやれないことは覚悟していたはずだった。だが、そう覚悟したことが、嘘であったように、都築は自分一人の家で取り乱した。

胸が揺れる。思いが叫び出したいほど突き上げて来る。えり子はもういない。会うことも出来ないのだとなんべんとなく自分にいい聞かせた。そして納得した。だが、それが直ぐに崩れた。八尾、金石、フェキャン、そして、また、八尾、白峰、杉津《すいづ》と、えり子の姿が走っては消える。そんな思いが、どうしても、今にも玄関があいて、えり子が入って来そうな期待につながってしまう。

都築は諦《あきら》めるようにゆっくりと二階への階段を上った。

都築は夢を見ていた。パリの支局の机の上で電話が鳴っている。とらなければいけないと思いながら、椅子《いす》に深く座った自分の体が自分で起せない。全身の力をふりしぼって、受話器をとった。

「はい、こちら……都築」

「あなたなのね」

えり子の声だった。にわかに、パリの支局が八尾の家に重なった。

「……えり子？　君か、本当に君か？」

ふりしぼった力でそういったが、あとが続かなかった。

「もしもし、あなた、どうしたの」

「……君は……一体……」

「小絵がそっちへ行ったのね」

深い眠りが都築をまたパリ支局に引き戻した。

「……はい……ツ、ヅ、キ……」

「ね、しっかりして、小絵が行ってなにをいったの」

都築には答える力が残っていなかった。

「今から、車でそちらに行きます。待っててね。……待ってるのよ」

「……ああ、待って……る」

「あなた……まさか」

えり子の声は叫びに変っていたが、それは都築の耳には届かなかった。ゆっくりと都築の手から受話器が落ちた。

渋るタクシーを拝み倒すようにしてえり子が八尾の家についたのは朝の四時だった。つけたままの電灯の光の中で、畳の上に転がったままの受話器をみて、えり子はそこに立ちつくした。涙は来る道中でもう涸《か》れはてていた。

人生には、こうなるにきまっていると、まだ自分の眼では見届けていない結果を、明瞭《めいりよう》に見とおしてしまうことがある。もの心ついてから、えり子はそんなことに慣れてしまっていた。

それは自分には甘える父がいないと意識した日から始まったことだった。父に違いない人がいて、なん度も会っている。幼い日の記憶をさかのぼると、思い出せる限りの最も古い数年間、父はよく訪ねて来てくれる人だった。その訪問がやがて間遠になり、そして、絶えた。そんな記憶の中で、父は子供心にも感じとれる心づかいをしてくれた。

「えり子は心ばえのいい子だな」

父が母にそういったことがある。細かいことまでは覚えていない。だが、なにかで、自分が父に甘えるのを一歩控えた時のことだった。そして、それが、えり子の記憶の中では、父が母にわが娘のことを語った最初の言葉なのである。

以来、控えることを知ってしまった。そして、控えれば控えるほど、父はえり子を見る眼を細めた。そうか、心ばえという言葉はそういう意味なのかと、えり子は身にしみて知った。自分が、あと一歩を踏みこむことが出来ない人間になってしまったのは、その時に始まっているような気がする。

こうなるにきまっていると、はなから思うことも、そして、果してそうなった結果を見る時も、父のいう心ばえに頼れば耐えて来られた。中出との生活も、総《すべ》てがその繰返しだったのではないかと思う日があった。しかし、それでもなんとか生き通せる。自分は幸せな女なのだとえり子は思って来た。

転がった受話器のそばの、眠りこんでいるような都築の顔を見た時、えり子の胸からつき上げて来たのは〝こうなるにきまっていた〟との思いだった。だが、それは、いつものように、すんなりと胸の底にはおさまらなかった。

烈《はげ》しく反撥《はんぱつ》するものがこみ上げて来た。先行きを、自分だけの眼で見ていてはいけなかったのだ。自分にも、なにかが出来たのではなかったか。そう思った。自分自身への怒りが迸《ほとばし》り出て来た。

「あなた、御免なさい」

いい終えぬ中《うち》に、身を投げ出すようにして、えり子は都築の側に寄った。都築の胸に身を伏せた。

「杉津で、ああまでいって下さったのに、私が思いきれなかったから、……だから。もし私がはいといったら、あなたにこんな思いをさせないで、私も一緒に……御免なさい」

都築の頰《ほお》に自分の頰を寄せた。冷たさが身にこたえた。

いつか都築との別れが来る。それは、そうなるにきまっていると考えていたことだった。二人きりで八尾に戻って行く。それは、そんなことがあるはずがないと、打ち消し打ち消しして来たことだった。

そのふたつが、逆になった。あるはずがないと自分にいい聞かせ続けた八尾での日々を、都築と生きることが出来た。一方、別離が来るに違いないと思いながらも、その予感だけは当ってほしくないと願い続けていたのだが、その方は無残に裏切られた。しかも、自分が都築のなきがらを抱きしめることになるとは……。そうなるにきまっていたにしても、余りにも痛烈だった。

えり子は頰を更に強く寄せた。自分の生身の熱を、頰から伝え続けることで、都築の命を呼び戻すことが出来そうな気がした。

どれほどの時間が過ぎたのか、聞こうともしていない耳に、地方《じかた》だけの夜流しが近づいて来るのが聞えて来た。白々あけの静けさを、ひと際《きわ》深めるように、胡弓が余韻を残して遠ざかって行った。

〝ああ、今夜は誰《だれ》も歌ってくれないんだわ〟

そう思うより早く、淋《さび》しさと空《むな》しさがどっと襲いかかって来た。京都から流れ去る時間を追うようにかけつけて来た心のたかぶりも、その間に降り積む雪のようにかさを増して来た覚悟も、束《つか》の間《ま》に消え失せた。

「私を置いて行ってしまったのね」

えり子は都築の髪をまさぐった。都築の答えはなく、水音だけが増した。

その水音の中に身をひたすようにして、えり子は都築を抱きしめていたが、やがて、静かに立ち上った。そして、京都の家を出る時に、それだけを抱えて来た風呂敷包《ふろしきづつみ》を持つと、二階への階段を上った。

いつあけそめたのか、部屋にかすかな朝の光がさしこんで来ていた。壁の色の赤は、まだ色とは感じられないほど暗い。腰張りの紙の白さと、夢、幻の軸の紙の色だけがわずかに浮き上って見えた。

〝ああ、ここにだけは金沢がある〟

えり子が作り出したものにせよ、そこは確かに二人だけの金沢なのだと思えた。風呂敷包をとき、畳紙《たとう》を開いた。遂に、都築に見せずじまいに終ってしまった喪服がそこにあった。帯の畳紙を開くと、幻の一字が眼にとびこんで来た。自分で選んで書いて貰った字でありながら、字の意味するものが余りにも辛《つら》かった。自分がなにもかもを幻にしてしまったように思えたのだ。

しかし、迷いは、もうなかった。えり子は立ち上った。よもやという万一の期待があって、京都の家を出る時に、急いで身にまとったのが、去年のあの道行の日に着ていた薄紫のワンピースだった。都築の身に異変がなかったとしたら、去年の時間が切れた時のままの自分に戻して、都築の胸にとびこんで行きたい思いがあったのだ。その服を脱いだ。

包んで来た下着に手をのばそうと、身をかがめた時に、眼の隅《すみ》をチラと白いものがかすめた。思わず振り向くと、姿見にうつったえり子自身の体だった。

「としはどこに置き忘れて来たんだ。……こんな綺麗《きれい》な胸は突けない」

白峰の星空の下で、そういってくれた都築の言葉がよみがえって来た。家の裏の谷川の水音が、白峰の断崖《だんがい》の下の濁流の音に重なった。

鏡の中から見つめ返して来るわが身を消し去るように、えり子は眼を閉じた。そのまま跪《ひざまず》くと、ひろげてあったものに手をのばして身を掩《おお》った。

帯締めを締め終るまでは、頑《かたく》なに鏡を見なかった。

そして、納得がいって、姿見の前に立って見ると、きりっと眼を瞠《みひら》いた死出の衣裳《いしよう》の自分がうつっていた。斜めに向きをかえて、背をうつして見た。幻の一字が鮮やかにお太鼓に染めぬかれている。正面に向き直ると、帯の右前に夢、そして、左の胸にうつつの字が浮き出ていた。

思わずうつつの字に左手が行った。夢と幻を、うつつにしてみせるのだとの思いで鏡の中の自分を見た。見返して来る表情は、いかにも静かで、なんの乱れも見せていない。

ああ、これでいいのだ。こうなることにきまっていたのだという思いが、一瞬、胸を走った。ゆくりなく、自分がいとおしく思えた。そこに立っている自分が別の人間でもあるかのように、鏡の中のえり子は、胸にそえた左手を右手で握りしめていた。

二階から白麻の蚊帳《かや》をえり子は持って下りた。そして、蚊帳を吊《つ》り終えると、台所に行って、残された薬をのみ下した。

「奥さん、早う行ってやるまっし。旦那《だんな》さんが待っとるわいね」

そういうとめの声が聞えるように思えた。だが、耳に入って来るのは水音だけだった。水音が限りなくいとおしかった。

玄関脇の部屋に戻り、蚊帳をくぐると、えり子は都築の脇に体を横たえた。そして、間もなく訪れて来る眠りを待ちこがれながら、都築の耳もとに囁《ささや》き続けた。

「……側へ行くわね、あなた。……今度はもう離さないでね。……初めての夜、あなたを困らせたわね。幸せっていいことなの、人間にとって、生きたって実感とどっちが大事なの……って……。あなたは答えてくれなかったけど、今、私は幸せよ。あなたのおかげで、生きたわよ。胸一杯に歓《よろこ》びを持っているわ。答えなんか要らなかったのよね。……廻り道と遠廻りばっかりだったのね。それはわかっていたわ、この家の私を知ってから。……だから、もういっぺんだけ遠廻りしても、あなたは待っていてくれると思ったのよ。……御免なさいね、この家だけの私になりたかったの。それが出来そうに思えたの。……あなたはわかったといって下さったし。……でも小絵は私を憎んだのよ。……八尾から帰った晩には、なにもかもが変っていて……。あの子は総てのことで中出の味方になったの。無理もないことだけど……。中出は来年の三月まで……結婚式まで私が母親の役をつとめれば、あとは思うようにしていい。……その代り、今年の風の盆にだけはやらない……と。……だから、今年だけは……と。……あなた、来られない年があってもいいっていってくれたじゃない。……小絵を送り出したら、杉津に小さな家を建ててねといったじゃない。……どうして待てなかったの。……小絵が帰らないことに気づいて、……万一……と思って電話したのよ。……中出が寝るのを待って。……どうして待てなかったの。なぜ、待てないといってくれなかったの。……私は自分のことさえ解決すればと、そればかりを考えて来たわ。……悪かったのね、私が。……でも、許してね。ここは八尾よ。二人だけの八尾よ。帰りたい場所は八尾といったわね。戻って来たわよ。……こうして、あなたの側にいるわよ。……あなたの側に……」

白麻の蚊帳の中の二人を見つけたのは、九月三日の昼すぎに諏訪町《すわまち》の家についたとめだった。枕元《まくらもと》に、えり子の書いた遺書が残されていた。

……お祭の中です。不祝儀《ぶしゅうぎ》を皆様にしらせるのは四日の朝にして下さい。最後まで御迷惑のかけ通しでお詫《わ》びのしようもありません。有難《ありがと》うとめさん。この家で幸せでした。

遺書の中にそう書かれていたことを守り、とめは二人の死を報《しら》せるのは清原だけにした。

その夜、諏訪町をくだって来る鏡町の夜流しが、清原の家の前にさしかかった時、玄関が開いた。清原はなん年ぶりかに着る踊り衣裳に身を固めていた。

鏡町の踊り手たちは清原の突然の変心に驚いた。しかし、久しぶりに清原と踊る喜びの方が大きく、誰がそうするともなく、清原を先頭に立てた。だが、清原は家数にして僅《わず》か二、三軒進んだだけで、都築の家の前から動こうとはしなかった。巧みに踊りの進み方を按配《あんばい》して、都築の家の前を行きつ戻りつした。

清原が踊っているとの噂《うわさ》は町を走った。みるみる諏訪町に厚い人垣《ひとがき》が出来た。

踊り手たちが都築の家になにかがあったことに気づいた頃《ころ》、玄関の戸が開いた。えり子が八尾の人々にあの絣《かすり》と覚えられていた薩摩《さつま》絣を着て、杏里《アンリ》が眼を泣きはらしながらとめに送り出されるように玄関を出た。

清原は杏里にちらと眼を走らせただけで踊り続けている。杏里が手のふりだけの踊りをみせながら、進んで行って父の横に並んだ。一分《いちぶ》のすきもない呼吸《いき》の合い方を見て、鏡町の踊り手たちが、一人また一人と踊りの列から引いていった。

やがて、父娘《おやこ》のデュエットになった踊りが三十分ほど続いた。浮いては止り、浮いては動き、止る瞬間さえ、それとは定かではないほど、清原と杏里の踊りは冴《さ》えわたった。

「みなさん、お祭でございます」

清原が踊りながら、魂を抜き去られたように見入っている人々に声をかけた。

「おわらを愛したお二人のためにどうか踊って上げて下さい。みなさん、今夜は命を燃やすお祭でございます」

唄《うた》の町だよ　八尾の町は

唄で糸とる　オワラ　桑もつむ

ふりしぼるような声でとめが歌い出した。それが合図だったように、鏡町の踊り手たちが加わり、見ていた人々が加わり、踊りはみるみる諏訪町全体の輪踊りにひろがって行った。

朝の光の中に人々が散って行った頃、二輪の酔芙蓉《すいふよう》の花が咲いた。とめは立ちつくしたまま、いつまでもその花を見つめ続けていた。

とめの報せで中出と志津江がかけつけて来たが、二人は互いにほとんど口をきかなかった。志津江はとめに問い質《ただ》すような口調で二人のいきさつを聞き、中出は不動産としてのこの家が都築一人の所有なのかどうかを聞きたがった。

死んだ二人から細かいことは聞いていなかったが、とめには、あの二人にこの家が必要だった本当の理由がわかったように思えた。町の人々との関係は説明したのだが、二人とも清原の家にさえ挨拶《あいさつ》に行かず、霊柩車《れいきゅうしゃ》を雇うと早々に引き上げて行った。

とめは駅前の家を売って、この家を買う気になった。

八尾の町には風の盆に関係なく稽古《けいこ》のおわらの音が流れる。それを聞くたびに、とめには今にも玄関が開いて都築とえり子が入って来るように思えてならない。

風の盆――水音と胡弓の音色

加藤登紀子

一九八六年二月、寒さにすっかりまいっていた私はアフリカ、ケニヤへ旅立った。その時見送りに来てくれた人が私に手渡してくれた一冊、それが「風の盆恋歌」だった。出発の間際《まぎわ》まで仕事をこなし、おまけに首筋がいたくって、これからの長時間、この疲れた体をどうやってもたせようかと思っていた私だけれど、飛行機が離陸するや、そんなわずらわしいこと全部が消えて、一気に「風の盆恋歌」を読み切ってしまった。

それぞれの結婚生活をもう何年も経た男と女の熟した不倫の物語、まだ若かったころの出逢《であ》いがありながら、とげられなかった愛は、静かに燃えつづけて、幻夢のように二人をとらえて離さない。そのうずくようなもどかしい恋が少しずつ坂道を登りつめていくように描かれている。どちらかといえば、こういうしめっぽい不倫物語は私はあまり得意じゃないのだけれど、でも何故《なぜ》だかはじめから、俳画を見るような冴々《さえざえ》とした気分で心地《ここち》よく読んでしまった。この本に漂うある種のかぐわしさにひきこまれてしまったのだ。

富山県八尾《やつお》は坂道と水音の街。書き出しの部分でこの水音がとても丁寧《ていねい》に描かれていて、いつの間にか体の中をその水音がくぐりぬけていくような清涼感で満たされる。

風の盆の幽玄の美ともいえる、陶酔的な美しさもくりかえし語られ、その音を耳に聞くことは出来ないけれど、かすかにどこかから聞こえているような気にさせられる。

この小説は男と女の恋という形をとってはいるけれど、実は、風の盆を描きたいという著者の狂おしいほどの情熱によって書かれたものだと思う。

髙橋さんの「風の盆」狂いは相当なものらしく、毎年、九月のはじめの三日間は必ず、八尾にいらっしゃるとうかがった。

その「風の盆」病に感染した重症患者のなかにし礼さんが誘ってくださって、私も初めて、その年の八尾の風の盆にいってみることにした。そして、二日の夜と三日の明け方まで、どっぷりと踊りの中に私はひたった。

祭りには踊りと唄《うた》はつきもので、それ自体は珍しいものではないと思うのだけれど、やはり何か違う、とても不思議な神々《こうごう》しさがこの祭りにはある。楽器のことで言えば、三味線《しゃみせん》のほかに胡弓《こきゅう》があるのが、言うに言われぬ色っぽさを添えている。そしてテンポのゆっくりな深いリズムには、浸りこむ静けさがある。

人が集まって、輪になって踊る。子供もおばあちゃんも若い衆も皆、ゆかた姿で、カタカタと下駄《げた》をはいてやって来る。それは、どんな街にもある盆踊りの風景だ。けれど、風の盆の不思議さは、そんな風に人々が集まっていながら、その群衆のまわりに、しんとした静寂が漂うのだ。

胡弓の甘く悲しい音色、ゆったりとした低い音でリズムを刻む三味の苦みばしった音、そして踊る人たちの軽くてしなやかな、洗練された身のこなし、そしてとりわけ美しい指先。

祭りといえば太鼓を打ちならしてばか騒ぎ、立ち並ぶ屋台店でにぎわうものときまっているのに、風の盆にはそれがない。

風の盆の最後の夜の三日、深夜を過ぎるころ、あちこちの町辻《まちつじ》で踊っていた人たちが、それぞれの街から三列の整然とした隊列をつくって静かに踊り出し、ひとつに溶け合っていく。

踊りの基本を大急ぎで教えてもらった私は、思い切ってその列の中に入れてもらった。

田んぼの土を起こし、種をまき、土をならし刈り入れをする、農作業のしぐさがそのまま踊りに表現されているという。男の人の踊りには胸のすくようなシンプルな強さがあり女の踊りは優雅でこまやかだ。乱れず騒がず、私語する人もなく静々と進む列の中にいて、同じ踊りのくり返しに身をまかせている。自分の心の中に入りこんでいるのか、忘我の境地にいるのか、それは不思議な陶酔なのだ。

髙橋治さんと一緒に歩いていると、もう八尾中の人と友だちになってしまいそうだ。八尾一番の三味線弾きのおじさんとも、すっかり意気投合、豪快とも言え、脱力とも言える弾き様《ざま》に魅せられた。若い胡弓弾きの色っぽさにもうっとり……。こうして、すっかり「風の盆」病にかかってしまった私を、髙橋治さんも嬉《うれ》しそうにニヤニヤしてみていた。

踊りを楽しむというのは、人間の中にひそむ根源的な欲望だと思う。ケニヤのトゥルカナ族の人たちにとっては、踊っている時間がすべてのように見えた。毎晩、力つきるまで手拍子と足拍子で驚くほど正確なリズムを刻みながら激しいジャンプをしたり、声をあげたりして踊っている。その激しい跳躍的な踊り。

「風の盆」の静かな幽玄の世界をもし彼らが見たら、何だと思うだろう。

静かさに陶酔するというこの境地、これはやっぱり、日本人の独特の美意識なのだろうか。八尾に残された神々しい程のこの世界、いつまでも古めかしいままに、残ってほしいと思う。

（昭和六十二年七月、歌手）

この作品は昭和六十年四月新潮社より刊行された。

向田邦子著

寺内貫太郎一家

著者・向田邦子の父親をモデルに、口下手で怒りっぽいくせに涙もろい愛すべき日本の〈お父さん〉とその家族を描く処女長編小説。

向田邦子著

思い出トランプ

日常生活の中で、誰もがもっている狡さや弱さ、うしろめたさを人間を愛しむ眼で巧みに捉えた、直木賞受賞作など連作13編を収録。

向田邦子著

男どき女どき

どんな平凡な人生にも、心さわぐ時がある。その一瞬の輝きを描く最後の小説四編に、珠玉のエッセイを加えたラスト・メッセージ集。

向田和子著

向田邦子の恋文

邦子の急逝から二十年。妹・和子は遺品から、若き姉の〝秘め事〟を知る。邦子の手紙と和子の追想から蘇る、遠い日の恋の素顔。

群ようこ著

おんなのるつぼ

電車で化粧？　パジャマでコンビニ⁇　肩ひじ張る気もないけれど、女としては一言いいたい。「それでいいのか、お嬢さん」。

村岡恵理著

アンのゆりかご
―村岡花子の生涯―

生きた証として、この本だけは訳しておきたい――。『赤毛のアン』と翻訳家、村岡花子の運命的な出会い。孫娘が描く評伝。

林 真理子著
着物の悦び
―きもの七転び八起き―

時には恥もかきつつ、着物にのめり込んでいったマリコさん。まだ着物を知らない人にもわかりやすく楽しみ方を語った着物エッセイ。

林 真理子著
花 探 し

男に磨き上げられた愛人のプロ・舞衣子が求める新しい「男」とは。一流レストラン、秘密の館、ホテルで繰り広げられる官能と欲望の宴。

林 真理子著
アッコちゃんの時代

若さと美貌で、金持ちや有名人を次々に虜にし、伝説となった女。日本が最も華やかだった時代を背景に展開する煌びやかな恋愛小説。

林 真理子著
アスクレピオスの愛人
島清恋愛文学賞受賞

マリコ文学史上、最強のヒロイン！　エボラ出血熱、デング熱と闘う医師であり、数多の男を狂わせる妖艶な女神が、本当に愛したのは。

渡辺淳一著
花 埋 み

夫からうつされた業病に耐えながら、同じ苦しみにあえぐ女性を救うべく、医学の道を志した日本最初の女医、荻野吟子の生涯を描く。

綿矢りさ著
ひ ら い て

華やかな女子高生が、哀しい眼をした地味な男子に恋をした。でも彼には恋人がいた。傷つけて傷ついて、身勝手なはじめての恋。

田辺聖子著　**孤独な夜のココア**

心の奥にそっとしまわれた甘苦い恋の記憶を、柔らかに描いた12篇。時を超えて読み継がれる、恋のエッセンスが詰まった珠玉の作品集。

田辺聖子著　**姥ざかり**

娘ざかり、女ざかりの後には、輝く季節が待っている——姥よ、今こそ遠慮なく生きよう、76歳〈姥ざかり〉歌子サンの連作短編集。

田辺聖子著　**新源氏物語**（上・中・下）

平安の宮廷で華麗に繰り広げられた光源氏の愛と葛藤の物語を、新鮮な感覚で「現代」のよみものとして、甦らせた大ロマン長編。

田辺聖子著　**朝ごはんぬき？**

三十一歳、独身ＯＬ。年下の男に失恋して退職、人気女性作家の秘書に。そこでアラサー女子が巻き込まれるユニークな人間模様。

田辺聖子著　**姥うかれ**

女には年齢《とし》の数だけ花が咲く、花の数だけ夢が咲く。愛しのシルバーレディ歌子サン、大活躍！『姥ざかり』『姥ときめき』の続編。

田辺聖子著　**姥勝手**

老いてこそ勝手に生きよう。今こそヒト様に気がねなく。くやしかったら八十年生きてみい。元気いっぱい歌子サンのシリーズ最終巻。

唯川恵著

恋人たちの誤算

愛なんか信じない流実子と、愛がなければ生きられない侑里。それぞれの「幸福」を摑むための闘いが始まった――これはあなたの物語。

唯川恵著

「さよなら」が知ってるたくさんのこと

泣きたいのに、泣けない。ひとりで抱えてるのは、ちょっと辛い――そんな夜、この本はきっとあなたに「大丈夫」をくれるはずです。

唯川恵著

ため息の時間

男はいつも、女にしてやられる――。裏切られても、傷つけられても、性懲りもなく惹かれあってしまう男と女のための恋愛小説集。

唯川恵著

100万回の言い訳

恋愛すると結婚したくなり、結婚すると恋愛したくなる――。離れて、恋をして、再び問う夫婦の意味。愛に悩むあなたのための小説。

唯川恵著

とける、とろける

彼となら、私はどんな淫らなことだってできる――果てしない欲望と快楽に堕ちていく女たちを描く、著者初めての官能恋愛小説集。

唯川恵著

霧町ロマンティカ

別れた恋人、艶やかな人妻、クールな女獣医、小料理屋の女主人とその十九歳の娘……女たちに眩惑される一人の男の愛と再生の物語。

川上弘美著

おめでとう

忘れないでいよう。今のことを。今までのことを。これからのことを――ぽっかり明るくしんしん切ない、よるべない十二の恋の物語。

川上弘美著

ニシノユキヒコの恋と冒険

姿よしセックスよし、女性には優しくこまめ。なのに必ず去られる。真実の愛を求めさまよった男ニシノのおかしくも切ないその人生。

川上弘美著

センセイの鞄

谷崎潤一郎賞受賞

独り暮らしのツキコさんと年の離れたセンセイの、あわあわと、色濃く流れる日々。あらゆる世代の共感を呼んだ川上文学の代表作。

川上弘美著

古道具中野商店

てのひらのぬくみを宿すなつかしい品々。小さな古道具店を舞台に、年の離れた4人のもどかしい恋と幸福な日常をえがく傑作長編。

川上弘美著

どこから行っても遠い町

二人の男が同居する魚屋のビル。屋上には、かたつむり型の小屋――。小さな町の人々の日々に、愛すべき人生を映し出す傑作小説。

川上弘美著

パスタマシーンの幽霊

恋する女の準備は様々。丈夫な奥歯に、煎餅の空き箱、不実な男の誘いに喜ばぬ強い心。女たちを振り回す恋の不思議を慈しむ22篇。

小川洋子著　薬指の標本

標本室で働くわたしが、彼にプレゼントされた靴はあまりにもぴったりで……。恋愛の痛みと恍惚を透明感漂う文章で描く珠玉の二篇。

小川洋子著　まぶた

15歳のわたしが男の部屋で感じる奇妙な視線の持ち主は？　現実と悪夢の間を揺れ動く不思議なリアリティで、読者の心をつかむ8編。

小川洋子著　博士の愛した数式
本屋大賞・読売文学賞受賞

80分しか記憶が続かない数学者と、家政婦とその息子——第1回本屋大賞に輝く、あまりに切なく暖かい奇跡の物語。待望の文庫化！

小川洋子著　海

「今は失われてしまった何か」への尽きない愛情を表す小川洋子の真髄。静謐で妖しく、ちょっと奇妙な七編。著者インタビュー併録。

小川洋子著　博士の本棚

『アンネの日記』に触発され作家を志した著者の、本への愛情がひしひしと伝わるエッセイ集。他に『博士の愛した数式』誕生秘話等。

髙樹のぶ子著　光抱く友よ
芥川賞受賞

奔放な不良少女との出会いを通して、初めて人生の「闇」に触れた17歳の女子高生の揺れ動く心を清冽な筆で描く芥川賞受賞作ほか2編。

新潮文庫最新刊

遠藤彩見著
キッチン・ブルー
おいしいって思えなくなったら、私たぶん疲れてる。「食」に憂鬱を抱える6人の男女が、タフに悩みに立ち向かう、幸せごはん小説!

堀川アサコ著
おもてなし時空ホテル
~桜井千鶴のお客様相談ノート~
過去か未来からやってきた時間旅行者しか泊まれない『はなぞのホテル』。ひょんなことからホテル従業員になった桜井千鶴の運命は。

青柳碧人著
猫河原家の人びと
—一家全員、名探偵—
謎と事件をこよなく愛するヘンな家族たち。私だけは普通の女子大生でいたいのに……。変人一家のユニークミステリー、ここに誕生。

泡坂妻夫著
ヨギ ガンジーの妖術
心霊術、念力術、予言術、分身術、そして遠隔殺人術……。超常現象としか思えない不思議な事件の謎に、正体不明の名探偵が挑む!

出口治明著
全世界史(上・下)
歴史に国境なし。オリエントから古代ローマ、中国、イスラムの歴史がひとつに融合。日本史の見え方も一新する新・世界史教科書。

安田登著
身体感覚で『論語』を読みなおす。
—古代中国の文字から—
古代文字で読み直せば、『論語』と違う孔子が現れる! 気鋭の能楽師が、現代人を救う「心」のパワーに迫る新しい『論語』読解。

風《かぜ》の盆《ぼん》恋《こい》歌《うた》

新潮文庫 た‐44‐1

昭和六十二年八月二十五日 発行
平成二十二年七月十五日 四十九刷改版
平成三十年七月二十日 五十六刷

著者 髙《たか》橋《はし》治《おさむ》

発行者 佐藤隆信

発行所 株式会社 新潮社
郵便番号 一六二―八七一一
東京都新宿区矢来町七一
電話 編集部(〇三)三二六六―五四四〇
読者係(〇三)三二六六―五一一一
http://www.shinchosha.co.jp

価格はカバーに表示してあります。

乱丁・落丁本は、ご面倒ですが小社読者係宛ご送付ください。送料小社負担にてお取替えいたします。

印刷・株式会社光邦　製本・株式会社植木製本所

ISBN978-4-10-103911-4 C0193